Márcia Fernandes
PARA DE SER DOIDA!

Márcia Fernandes
PARA DE SER DOIDA!

Acorde para a vida e siga os 3 passos
para conquistar o amor (e outras dicas)

principium

Copyright da presente edição © 2023 by Editora Globo S.A.
Copyright © 2023 by Márcia Fernandes

Todos os direitos reservados.
Nenhuma parte desta edição pode ser utilizada ou reproduzida — em qualquer meio ou forma, seja mecânico ou eletrônico, fotocópia, gravação etc. — nem apropriada ou estocada em sistema de banco de dados sem a expressa autorização da editora.

Texto fixado conforme as regras do Novo Acordo Ortográfico da Língua Portuguesa (Decreto Legislativo nº 54, de 1995).

Editor responsável: Guilherme Samora
Editora assistente: Gabriele Fernandes
Preparação: Ariadne Martins
Revisão: Patricia Calheiros e Adriana Moreira Pedro
Foto de capa: Cauê Moreno
Design de capa: Guilherme Samora
Projeto gráfico e diagramação: Douglas K. Watanabe
Imagens: iStock

CIP-BRASIL. CATALOGAÇÃO NA PUBLICAÇÃO
SINDICATO NACIONAL DOS EDITORES DE LIVROS, RJ

F41p

Fernandes, Márcia
  Para de ser doida!: acorde para a vida e siga os 3 passos para conquistar o amor (e outras dicas) / Márcia Fernandes — 1ª ed. — São Paulo: Principium, 2023.

  ISBN 978-65-88132-30-2

  1. Amor. 2. Relações humanas. 3. Esoterismo. I. Título.

22-84661
CDD-152.41
CDU-316.8:392.61

Gabriela Faray Ferreira Lopes — Bibliotecária — CRB-7/6643

1ª edição, 2023

Editora Globo S.A.
Rua Marquês de Pombal, 25
Rio de Janeiro, RJ — 20230-240
www.globolivros.com.br

Dedico este livro a Deus.
E a todos aqueles com amor no coração.

Antes de fazer qualquer uso de ervas, plantas, outros recursos para banho ou produto (atenção às informações do rótulo), certifique-se de que não é alérgico a nenhum componente citado. Na dúvida, sempre busque orientação médica. Este produto e/ou procedimento tem fundamento somente espiritual, portanto não substitui consultas de ordem médica, psicológica e psiquiátrica.

Tenha cuidado com velas — jamais as deixe sem supervisão.

Tenha cuidado especial com plantas se tiver pets e crianças em casa.

SUMÁRIO

Nota da autora 15
Introdução: Todo relacionamento dá certo? 17

PARTE 1 — OS 3 PASSOS PARA UM AMOR SAUDÁVEL 19

Passo 1: Se abra para o novo! 21
    Ritual para esquecer o ex 22
    Banho do esquecimento 22
    Salmo 119 23
    Banho para abrir caminhos 31
    Banho para desbloqueio amoroso 31
    Banho de carqueja 32

Passo 2: Muito amor envolvido 35
    Um amor para chamar de seu 35
    Salmo 111 36
    Orquídea rosa no quarto das solteironas
       (e dos solteirões) 36
    Quartzo rosa 37
    Ritual da lua cheia para o amor vir rápido 37
    Simpatia para desencalhar 38
    Simpatia da salada de fruta encantada 39
    Simpatia para Santo Antônio 39
    Banho de Santo Antônio 40
    Magia do espelho 40
    Caminho das rosas 42
    Vênus, a deusa do amor 42
    A magia de Vênus 44

A magia das sereias 44

A magia das fadas 45

Banho afrodisíaco 46

Banho de jurubeba 46

A magia da melissa 47

Malva 47

Extrato de malva para quebrar feitiços 48

Banho energético para quem deseja
se casar 48

Garrafada para o amor i 49

Garrafada para o amor ii 49

Simpatia da Pombagira para atrair
o amor verdadeiro 50

Ritual para agradar a Pombagira 50

Ritual do alecrim para o amor verdadeiro 50

Poção do amor poderosa 51

Passo 3: Encontrei meu amor. E agora? 53

Simpatia para o marido nunca perder o tesão 53

Simpatia de Santo Antônio para as casadas 54

Jasmim no quarto do casal 54

Banho para aumentar a fertilidade 55

"Pavê" acalma marido 56

Ritual contra a inveja no seu lar 56

Rituais para estimular a vida sexual 57

Cavalinha 60

Catuaba 61

Guaraná 61

Pó de bruxinha 62

Verbena 62

Ciúme é tóxico 63

Simpatia para acabar com o ciúme 65

A energia das pedras para manter um bom amor 65
Simpatia para a fidelidade 67

PARTE 2 — DICAS, ASTROLOGIA, NUMEROLOGIA E CONSELHOS
PARA A VIDA AMOROSA 69

1. FAQ sobre espiritualidade e relacionamentos 71
   Qual a diferença entre alma gêmea
   e alma idêntica? 71
   Todas as pessoas com quem nos relacionamos
   amorosamente nesta vida já foram nossos
   parceiros amorosos em vidas passadas? 72
   Até que ponto a espiritualidade interfere na
   felicidade ou infelicidade de um casamento? 73
   Trabalhos espirituais e amarrações funcionam para
   unir casais? 73
   Me apaixonei por um homem/mulher casado(a).
   Poderia tentar de tudo — até trabalhos — para
   conquistá-lo(a)? 74
   Pessoas que se casam e têm crenças diferentes têm
   chance de serem felizes juntas? 74
   A pessoa que deseja, mas não consegue se casar,
   está sendo punida por algum carma de vidas
   passadas? 74

2. Romance escrito nas estrelas 77
   Tinder dos signos 78
   O retorno de Saturno 83
   Dicas para conquistar cada signo 84
   Jogo rápido: mais curiosidades sobre as combinações
   amorosas do Zodíaco 85

3. A numerologia e o amor 97
  Combinação ou sinastria amorosa pela
    numerologia 97
  A melhor data para se casar segundo
    a numerologia 100
  Numerologia do coração 102

4. Antes só do que mal acompanhada 107
  Simpatia do amor-próprio 110
  Banho para melhorar a autoestima 111

Conclusão 113
Agradecimentos 117

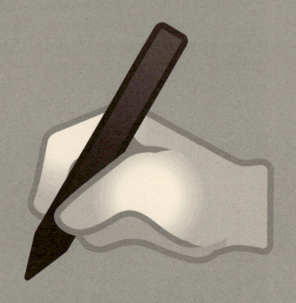

NOTA DA AUTORA

O amor é o tema mais recorrente em minhas consultas ou quando alguém me encontra em algum lugar. Muita gente me pergunta sobre o "amor verdadeiro". Muita gente quer saber se vai se casar. E muita, mas muita gente, está sofrendo por um amor não correspondido ou com o fim de um relacionamento.

Essas pessoas me pedem dicas, rituais e conselhos amorosos. Quando decidi escrever sobre o tema, pensei nos passos básicos para que estejamos livres para um bom amor, leve e cúmplice, e longe de relacionamentos tóxicos e abusivos. São eles:

1- Estar aberta para o amor. Não adianta nada ficar com um ex na cabeça e procurar esquecê-lo com outro cara!

2- Entrar em ação para atrair esse bom amor.

3- Finalmente, manter esse amor.

Mas, antes de tudo, antes de começar a ler este livro, entenda de uma vez por todas: aquele amorzinho de conto de fadas não existe! Amor dá trabalho (e como!). Afinal, são duas pessoas diferentes que vão conviver e ter que se entender. Essa coisa de príncipe encantado é uma grande bobagem! Para de ser doida e espere um amor de verdade, com companheirismo, alegrias, problemas, altos e baixos. Como tudo na vida.

Márcia Fernandes

Introdução
TODO RELACIONAMENTO DÁ CERTO?

Antes de iniciar nossos passos para se abrir ao amor, é preciso entender: o que é um relacionamento que deu certo? Sempre escuto comentários de pessoas que não querem mais se relacionar porque o último relacionamento foi péssimo ou porque sofreram uma traição. Aliás, algo que me incomoda muito é aquele comentário que a pessoa solta quando vai contar sobre um término: "Ah, nosso relacionamento não deu certo!". Minha filha, quem falou que seu relacionamento não deu certo? Jamais fale isso. Seus relacionamentos anteriores deram certo no tempo que foi bom para os dois. Claro que estou falando de relacionamentos saudáveis, que não envolvam abusos físicos ou psicológicos. Mas precisamos entender que relacionamento tem tempo para acabar — como absolutamente tudo na vida. Tudo tem seu tempo para encerrar, tudo termina.

Há também a relutância de algumas pessoas em aceitar que, quando estamos namorando ou casados, tudo funciona baseado em trocas. Sim, um relacionamento, um casamento, é uma troca, é um negócio. Sou realista, seja realista você também! É uma troca de amor, afeto, ternura, tesão, dinheiro, de tudo. Isso é intrínseco. Ninguém faz nada de graça para o outro, tudo é uma troca. O problema é ignorar quando a pessoa não tem para dar aquilo de que precisamos. Lembre-se: não podemos cobrar dela que nos ofereça o que não tem. Quando duas pessoas não têm mais o que dar uma para a outra, o relacionamento chega ao fim. E não é que o parceiro seja uma pessoa má, mas sim porque os pontos em comum acabaram.

Precisamos compreender que os relacionamentos são lições pelas quais devemos passar para adquirir maturidade e experiência, e precisamos acreditar que eles dão certo, sim. E que, mesmo quando existe respeito e cumplicidade na relação, pode ser que um dia ela acabe. Se você está atualmente solteira, saiu de um relacionamento difícil, faça uma autoavaliação. Isto é, reveja os seus conceitos de relacionamento, pois, do contrário, quando conhecer uma nova pessoa, poderá reproduzir os mesmos erros e se decepcionar novamente, se desgastando. Quando eu brinco com o título deste livro dizendo "para de ser doida!", estou falando, de uma maneira leve, de algo sério: não adianta ficar sonhando e cometendo os mesmos erros se quisermos ser felizes. Precisamos ter disciplina para não errar num novo relacionamento. Disciplina para não fazer o outro de palhaço, não o escravizar, exigindo dele algo que nem você mesma cumpre.

Afinal, o que é "parar de ser doida"? Tem tudo a ver com o que a gente chama de responsabilidade emocional: empatia, respeito e a compreensão de que aquilo que fizermos em um relacionamento vai afetar diretamente a outra pessoa. E que um amor só será bom quando os dois envolvidos tiverem essa consciência. O que espero para você que está lendo este livro é que viva um amor pleno. Sem doideiras e com muita cumplicidade.

PARTE 1

OS 3 PASSOS PARA UM AMOR SAUDÁVEL

PASSO 1: SE ABRA PARA O NOVO!

Se você levou um fora, está carente, se sentindo abandonada, achando que não vai encontrar nada melhor: levante-se e siga em frente! Não entre na neura de que sua vida acabou junto com o relacionamento. Estamos neste plano astral de forma passageira e devemos estar sempre ativos, senão o Universo entende que não precisamos mais viver e morremos. Só existe uma alternativa: superar. Caia na estrada!

E espere um pouco antes de emendar em outro namoro ou casamento. Não fique desesperada para namorar logo e se casar, vá com calma. Também não fique jogada em casa. Pense na eternidade. Pense que a vida é eterna, então tenha novas experiências e procure por uma alma parecida com a sua (vamos falar mais sobre isso nas pp. 71-2).

Aproveite, por exemplo, para curtir um site de relacionamento, mas, claro, não fique só no on-line e vá encontrar o cara pessoalmente também! Não precisa ir para a cama com a pessoa se não tiver vontade, mas só de conhecer, bater um papo, sair para jantar, já será uma experiência gostosa. O negócio é tentar.

E, para tentar, você precisa estar aberta para o novo. Pensando nisso, a partir de agora, darei dicas de rituais para tirar o ex da cabeça e para se preparar para coisas novas e boas.

Ah, e para as que são mães, nunca falem mal do pai dos seus filhos durante ou após a separação (no caso de ele não ter feito nada de muito grave ou ruim, claro). Como vocês tiveram filhos juntos, ambos têm laços eternos entre si. Ou seja, se começar a criar essa energia contra ele, você vai voltar como esposa dele mais uma vez. É o que você quer? Reencarnar dez vezes com o mesmo marido? Ame, perdoe e deixe viver!

RITUAL PARA ESQUECER O EX

Esse ritual é maravilhoso. Você vai conseguir esquecê-lo, acredite! Faça no primeiro dia de lua minguante.

Ingredientes
- 1 caneta vermelha
- 1 faixa de pano branca

Como fazer
Escreva duas vezes o nome do ex ou da pessoa que deseja esquecer em seu braço esquerdo, em formato de cruz. Depois, passe a faixa pelo braço, cobrindo totalmente o escrito. Fique assim até mesmo para dormir. No dia seguinte, desenfaixe o braço e lave o local do nome escrito com água corrente em abundância para apagá-lo.

BANHO DO ESQUECIMENTO

Para ajudar a aliviar o sofrimento do término e seguir em frente, sempre indico esse banho. Faça às segundas-feiras.

Ingredientes
- 2 litros de água
- 6 folhas de boldo
- 6 anises-estrelados
- 36 cravos-da-índia

Como fazer
Coloque todos os ingredientes numa panela com água e deixe em fogo baixo por dez minutos. Na sequência, bata o conteúdo no liquidificador. Coe a mistura e espere esfriar. Jogue o líquido da cabeça aos pés. Por fim, nada de enxaguar, apenas se enxugue bem e seque o cabelo.

SALMO 119

A leitura desse salmo acalmará seu coração machucado por causa de uma traição amorosa ou do término do relacionamento.

Bem-aventurados os retos em seus caminhos, que andam na lei do Senhor. Bem-aventurados os que guardam os Seus testemunhos, e que O buscam com todo o coração. E não praticam iniquidade, mas andam nos Seus caminhos. Tu ordenaste os Teus mandamentos, para que diligentemente os observássemos. Quem dera que os meus caminhos fossem dirigidos a observar os Teus mandamentos. Então não ficaria confundido, atentando eu para todos os Teus mandamentos. Louvar-Te-ei com retidão de coração quando tiver aprendido os Teus justos juízos. Observarei os Teus estatutos; não me desampares totalmente. Com que purificará o jovem o seu caminho? Observando-o conforme a Tua palavra. Com todo o meu coração Te busquei; não me deixes desviar dos Teus mandamentos. Escondi a Tua palavra no meu coração, para eu não pecar contra Ti. Bendito és Tu, ó Senhor; ensina-me os Teus estatutos. Com os meus lábios declarei todos os juízos da Tua boca. Folguei tanto no caminho dos Teus testemunhos, como em todas as riquezas. Meditarei nos Teus preceitos, e terei respeito aos Teus caminhos. Recrear-me-ei nos Teus estatutos; não me esquecerei da Tua palavra. Faze bem ao Teu servo, para que viva e observe a Tua palavra. Abre Tu os meus olhos, para que veja as maravilhas da Tua lei. Sou peregrino na terra; não escondas de mim os Teus mandamentos. A minha alma está quebrantada de desejar os Teus juízos em todo o tempo. Tu repreendeste asperamente os soberbos que são amaldiçoados, que se desviam dos Teus mandamentos. Tira de sobre mim o opróbrio e o desprezo, pois guardei os Teus testemunhos. Príncipes também se assentaram, e falaram contra mim, mas o Teu servo meditou nos Teus estatutos. Também os Teus testemunhos são o meu prazer e os meus conselheiros. A minha alma está pegada ao pó; vivifica-me segundo a Tua palavra. Eu Te contei os meus caminhos, e Tu me ouviste; ensina-me os Teus estatutos. Faze-me entender o caminho dos Teus preceitos; assim falarei das Tuas maravilhas. A minha alma consome-se de tristeza; fortalece-me segundo a Tua palavra. Desvia de mim o caminho da falsidade, e concede-me piedosamente a Tua lei. Escolhi o caminho da verdade; propus-me seguir os Teus juízos. Apego-me aos Teus testemunhos; ó Senhor, não me confundas. Correrei pelo caminho dos Teus mandamentos, quando dilatares o meu coração. Ensina-me, ó Senhor, o caminho dos Teus estatutos, e guardá-lo-ei até o fim. Dá-me entendimento, e guardarei a Tua lei, e observá-la-ei de todo o meu coração. Faze-me andar na vereda dos Teus mandamentos, porque nela tenho prazer. Inclina o meu coração aos Teus testemunhos, e não à cobiça. Desvia os meus olhos de contemplarem a vaidade, e vivifica-me no Teu caminho. Confirma a Tua palavra ao Teu servo, que é dedicado ao Teu temor. Desvia de mim o opróbrio que temo, pois os Teus juízos são bons. Eis que tenho desejado os Teus preceitos; vivifica-me na Tua justiça. Venham sobre mim também as Tuas misericórdias, ó Senhor, e a Tua salvação segundo a Tua palavra. Assim terei que responder ao que me afronta, pois confio na Tua palavra. E não tires totalmente a palavra de verdade da minha boca, pois tenho esperado nos Teus juízos. Assim observarei de contínuo a Tua lei para sempre e eternamente. E andarei em liberdade; pois busco os Teus preceitos. Também falarei dos Teus testemunhos perante os reis, e não me envergonharei. E recrear-me-ei em Teus mandamentos, que tenho amado. Também levantarei as minhas mãos para os Teus mandamentos, que amei, e meditarei nos Teus estatutos. Lembra-Te da palavra dada ao Teu servo, na qual me fizeste esperar. Isto é a minha consolação na minha aflição, porque a Tua palavra me vivificou. Os soberbos zombaram grandemente de mim; contudo não me desviei da Tua lei. Lembrei-me dos Teus juízos antiquíssimos, ó Senhor, e assim me consolei. Grande indignação se apoderou de mim por causa dos ímpios que abandonam a Tua lei. Os Teus estatutos têm sido os meus cânticos na casa da minha peregrinação. Lembrei-me do Teu nome, ó Senhor, de noite, e observei a Tua lei. Isto fiz eu, porque guardei os Teus mandamentos. O Senhor é a minha porção; eu disse que observaria as Tuas palavras. Roguei deveras o Teu favor com todo o meu coração; tem piedade de mim, segundo a Tua palavra. Considerei os meus caminhos, e voltei os meus pés para os Teus testemunhos. Apressei-me, e não me detive, a observar os Teus mandamentos.

Bandos de ímpios me despojaram, mas eu não me esqueci da Tua lei. À meia-noite me levantarei para Te louvar, pelos Teus justos juízos. Companheiro sou de todos os que Te temem e dos que guardam os Teus preceitos. A terra, ó Senhor, está cheia da Tua benignidade; ensina-me os Teus estatutos. Fizeste bem ao Teu servo, Senhor, segundo a Tua palavra. Ensina-me bom juízo e ciência, pois creio nos Teus mandamentos. Antes de ser afligido andava errado; mas agora tenho guardado a Tua palavra. Tu és bom e fazes bem; ensina-me os Teus estatutos. Os soberbos forjaram mentiras contra mim; mas eu com todo o meu coração guardarei os Teus preceitos. Engrossa-se-lhes o coração como gordura, mas eu me recreio na Tua lei. Foi-me bom ter sido afligido, para que aprendesse os Teus estatutos. Melhor é para mim a lei da Tua boca do que milhares de ouro ou prata. As Tuas mãos me fizeram e me formaram; dá-me inteligência para entender os Teus mandamentos. Os que Te temem alegraram-se quando me viram, porque tenho esperado na Tua palavra. Bem sei eu, ó Senhor, que os Teus juízos são justos, e que segundo a Tua fidelidade me afligiste. Sirva pois a Tua benignidade para me consolar, segundo a palavra que deste ao Teu servo. Venham sobre mim as Tuas misericórdias, para que viva, pois a Tua lei é a minha delícia. Confundam-se os soberbos, pois me trataram duma maneira perversa, sem causa; mas eu meditarei nos Teus preceitos. Voltem-se para mim os que Te temem, e aqueles que têm conhecido os Teus testemunhos. Seja reto o meu coração nos Teus estatutos, para que não seja confundido. Desfalece a minha alma pela Tua salvação, mas espero na Tua palavra. Os meus olhos desfalecem pela

Tua palavra; entrementes dizia: Quando me consolarás Tu? Pois estou como odre na fumaça; contudo não me esqueço dos Teus estatutos. Quantos serão os dias do Teu servo? Quando me farás justiça contra os que me perseguem? Os soberbos me cavaram covas, o que não é conforme a Tua lei. Todos os Teus mandamentos são verdade. Com mentiras me perseguem; ajuda-me. Quase que me têm consumido sobre a terra, mas eu não deixei os Teus preceitos. Vivifica-me segundo a Tua benignidade; assim guardarei o testemunho da Tua boca. Para sempre, ó Senhor, a Tua palavra permanece no céu. A Tua fidelidade dura de geração em geração; Tu firmaste a terra, e ela permanece firme. Eles continuam até ao dia de hoje, segundo as Tuas ordenações; porque todos são Teus servos. Se a Tua lei não fora toda a minha recreação, há muito que pereceria na minha aflição. Nunca me esquecerei dos Teus preceitos; pois por eles me tens vivificado. Sou Teu, salva-me; pois tenho buscado os Teus preceitos. Os ímpios me esperam para me destruírem, mas eu considerarei os Teus testemunhos. Tenho visto fim a toda a perfeição, mas o Teu mandamento é amplíssimo. Oh! quanto amo a Tua lei! É a minha meditação em todo o dia. Tu, pelos Teus mandamentos, me fazes mais sábio do que os meus inimigos; pois estão sempre comigo. Tenho mais entendimento do que todos os meus mestres, porque os Teus testemunhos são a minha meditação. Entendo mais do que os antigos; porque guardo os Teus preceitos. Desviei os meus pés de todo caminho mau, para guardar a Tua palavra. Não me apartei dos Teus juízos, pois Tu me ensinaste. Oh! quão doces são as Tuas palavras ao meu paladar, mais doces do que o mel à minha boca.

Pelos Teus mandamentos alcancei entendimento; por isso odeio todo falso caminho. Lâmpada para os meus pés é Tua palavra, e luz para o meu caminho. Jurei, e o cumprirei, que guardarei os Teus justos juízos. Estou aflitíssimo; vivifica-me, ó Senhor, segundo a Tua palavra. Aceita, eu Te rogo, as oferendas voluntárias da minha boca, ó Senhor; ensina-me os Teus juízos. A minha alma está de contínuo nas minhas mãos; todavia não me esqueço da Tua lei. Os ímpios me armaram laço; contudo não me desviei dos Teus preceitos. Os Teus testemunhos tenho eu tomado por herança para sempre, pois são o gozo do meu coração. Inclinei o meu coração a guardar os Teus estatutos, para sempre, até ao fim. Odeio os pensamentos vãos, mas amo a Tua lei. Tu és o meu refúgio e o meu escudo; espero na Tua palavra. Apartai-vos de mim, malfeitores, pois guardarei os mandamentos do meu Deus. Sustenta-me conforme a Tua palavra, para que viva, e não me deixes envergonhado da minha esperança. Sustenta-me, e serei salvo, e de contínuo terei respeito aos Teus estatutos. Tu tens pisado aos pés todos os que se desviam dos Teus estatutos, pois o engano deles é falsidade. Tu tiraste da terra todos os ímpios, como a escória, por isso amo os Teus testemunhos. O meu corpo se arrepiou com temor de Ti, e temi os Teus juízos. Fiz juízo e justiça; não me entregues aos meus opressores. Fica por fiador do Teu servo para o bem; não deixes que os soberbos me oprimam. Os meus olhos desfaleceram pela Tua salvação e pela promessa da Tua justiça. Usa com o Teu servo segundo a Tua benignidade, e ensina-me os Teus estatutos. Sou Teu servo; dá-me inteligência, para entender os Teus testemunhos. Já é tempo de operares, ó Senhor, pois eles têm quebrantado a Tua lei. Por isso amo os Teus mandamentos mais do que o ouro, e ainda mais do que o ouro fino. Por isso estimo todos os Teus preceitos acerca de tudo, como retos, e odeio toda falsa vereda. Maravilhosos são os Teus testemunhos; portanto, a minha alma os guarda. A entrada das Tuas palavras dá luz, dá entendimento aos símplices. Abri a minha boca, e respirei, pois que desejei os Teus mandamentos. Olha para mim, e tem piedade de mim, conforme usas com os que amam o Teu nome. Ordena os meus passos na Tua palavra, e não se apodere de mim iniquidade alguma. Livra-me da opressão do homem; assim guardarei os Teus preceitos. Faze resplandecer o Teu rosto sobre o Teu servo, e ensina-me os Teus estatutos. Rios de águas correm dos meus olhos, porque não guardam a Tua lei. Justo és, ó Senhor, e retos são os Teus juízos. Os Teus testemunhos que ordenaste são retos e muito fiéis. O meu zelo me consumiu, porque os meus inimigos se esqueceram da Tua palavra. A Tua palavra é muito pura; portanto, o Teu servo a ama. Pequeno sou e desprezado, porém não me esqueço dos Teus mandamentos. A Tua justiça é uma justiça eterna, e a Tua lei é a verdade. Aflição e angústia se apoderam de mim; contudo os Teus mandamentos são o meu prazer. A justiça dos Teus testemunhos é eterna; dá-me inteligência, e viverei. Clamei de todo o meu coração; escuta-me, Senhor, e guardarei os Teus estatutos. A Ti Te invoquei; salva-me, e guardarei os Teus testemunhos. Antecipei o cair da noite, e clamei; esperei na Tua palavra. Os meus olhos anteciparam as vigílias da noite, para meditar na Tua palavra. Ouve a minha voz, segundo a Tua benignidade; vivifica-me, ó Senhor, segundo o Teu juízo.

Aproximam-se os que se dão a maus tratos; afastam-se da Tua lei. Tu estás perto, ó Senhor, e todos os Teus mandamentos são a verdade. Acerca dos Teus testemunhos soube, desde a antiguidade, que Tu os fundastes para sempre. Olha para a minha aflição, e livra-me, pois não me esqueci da Tua lei. Pleiteia a minha causa, e livra-me; vivifica-me segundo a Tua palavra. A salvação está longe dos ímpios, pois não buscam os Teus estatutos. Muitas são, ó Senhor, as Tuas misericórdias; vivifica-me segundo os Teus juízos. Muitos são os meus perseguidores e os meus inimigos; mas não me desvio dos Teus testemunhos. Vi os transgressores, e me afligi, porque não observam a Tua palavra. Considera como amo os Teus preceitos; vivifica-me, ó Senhor, segundo a Tua benignidade. A Tua palavra é a verdade desde o princípio, e cada um dos Teus juízos dura para sempre. Príncipes me perseguiram sem causa, mas o meu coração temeu a Tua palavra. Folgo com a Tua palavra, como aquele que acha um grande despojo. Abomino e odeio a mentira; mas amo a Tua lei. Sete vezes no dia Te louvo pelos juízos da Tua justiça. Muita paz têm os que amam a Tua lei, e para eles não há tropeço. Senhor, tenho esperado na Tua salvação, e tenho cumprido os Teus mandamentos. A minha alma tem observado os Teus testemunhos; amo-os excessivamente. Tenho observado os Teus preceitos, e os Teus testemunhos, porque todos os meus caminhos estão diante de Ti. Chegue a Ti o meu clamor, ó Senhor; dá-me entendimento conforme a Tua palavra. Chegue a minha súplica perante a Tua face; livra-me segundo a Tua palavra. Os meus lábios proferiram o louvor, quando me ensinaste os Teus estatutos. A minha língua falará da Tua palavra, pois todos os Teus mandamentos são justiça. Venha a Tua mão socorrer-me, pois escolhi os Teus preceitos. Tenho desejado a Tua salvação, ó Senhor; a Tua lei é todo o meu prazer. Viva a minha alma, e louvar-Te-á; ajudem-me os Teus juízos. Desgarrei-me como a ovelha perdida; busca o Teu servo, pois não me esqueci dos Teus mandamentos.

BANHO PARA ABRIR CAMINHOS
Agora, para fazer a vida andar em todos os sentidos — incluindo o amoroso —, esse banho é maravilhoso. Com ele, seus caminhos estarão abertos e, por isso mesmo, você terá mais chances no amor.

Ingredientes
- 2 litros de água
- 1 galho de alecrim
- 1 galho de arruda
- 31 cravos-da-índia

Como fazer
Ferva por sete minutos a água com os cravos-da-índia. Retire os cravos e, depois, macere as ervas nesta água. Em seguida, deixe amornar, coe e banhe-se do pescoço para baixo. Durma com o banho. Segunda-feira é um ótimo dia para fazê-lo.

BANHO PARA DESBLOQUEIO AMOROSO
Ingredientes
- 2 litros de água
- 2 canelas em pau
- pétalas de uma rosa amarela
- 1 colher (sopa) de açúcar mascavo

Como fazer
Ferva somente a canela na água por cinco minutos. Deixe esfriar. Quando estiver frio, acrescente as pétalas da rosa amarela (macere bem com as mãos) e o açúcar. Misture tudo muito bem e, em seguida, coe. Banhe-se do pescoço para baixo após seu banho higiênico. Durma com o banho. Faça aos sábados.

BANHO DE CARQUEJA
Ótimo banho para seguir em frente depois da viuvez ou dar adeus ao passado e as boas-vindas ao tempo presente. A erva carqueja está relacionada ao poder oculto, logo, a energia sutil da planta atua em nossos meridianos, em nossa alma, purificando assim nossos sentimentos, nossos pensamentos, nossas emoções passadas e também nosso campo espiritual. Faça aos sábados.

Ingredientes
• 1 litro de água
• 1 punhado de carqueja

Como fazer
Coloque a erva na água fervente, depois deixe esfriar até ficar na temperatura ambiente. Banhe-se do pescoço para baixo após o banho higiênico. Durma com o banho. Você poderá também tomar esse líquido como chá. Descarte o que sobrar do banho na natureza.

PASSO 2: MUITO AMOR ENVOLVIDO

Como dizem, toda panela tem sua tampa, todo pé tem seu sapatinho... Tomara apenas que você não seja uma frigideira, que nasceu sem tampa, porque aí é carma e a coisa fica mais complicada! (Aliás, vamos conversar mais sobre isso nas pp. 74-5.)

Brincadeiras à parte, o tema campeão pelo qual as pessoas, principalmente as mulheres, me procuram é o amor. Há aquelas que querem conhecer alguém novo, as que já possuem um *crush* e querem namorá-lo, outras que estão sonhando com o grande dia do casamento, as que já estão casadas e precisam que o sentimento da união seja reativado...

A seguir, fiz um compilado com as melhores magias, simpatias, rituais e banhos para cada caso envolvendo o tão desejado amor.

UM AMOR PARA CHAMAR DE SEU

Primeiramente, você não deve querer se relacionar com alguém para se sentir uma pessoa completa (vamos conversar mais sobre isso no capítulo "Antes só do que mal acompanhada", na p. 107). Na verdade, você deve completar a si mesma, e o companheiro(a) apenas agregará algo bom à sua vida. Tenha em mente que a pessoa amada não vai salvá-la dos problemas. Assim, não use seu parceiro de bengala, pois isso não é amor, mas sim apego. Dito isso, seguem-se dicas poderosas para atrair muito amor para sua jornada.

Salmo 111

Reze esse salmo às 21h15, que é a hora universal do amor. Na sequência, se você já tiver um *crush*, diga: "Onde você estiver, (nome da pessoa), pense em mim com saudade e amor". Mas se ainda não há ninguém específico, fale: "Peço muito para os deuses do amor trazerem para a minha vida um amor verdadeiro".

Louvai ao Senhor. Louvarei ao Senhor de todo o meu coração, na assembleia dos justos e na congregação. Grandes são as obras do Senhor, procuradas por todos os que nelas tomam prazer. A Sua obra tem glória e majestade, e a Sua justiça permanece para sempre. Fez com que as Suas maravilhas fossem lembradas; piedoso e misericordioso é o Senhor. Deu mantimento aos que O temem; lembrar-se-á sempre da Sua aliança. Anunciou ao Seu povo o poder das Suas obras, para lhe dar a herança dos gentios. As obras das Suas mãos são verdade e juízo, seguros todos os Seus mandamentos. Permanecem firmes para todo o sempre; e são feitos em verdade e retidão. Redenção enviou ao Seu povo; ordenou a Sua aliança para sempre; santo e tremendo é o Seu nome. O temor do Senhor é o princípio da sabedoria; bom entendimento têm todos os que cumprem os Seus mandamentos; o Seu louvor permanece para sempre.

Orquídea rosa no quarto das solteironas (e dos solteirões)

A orquídea rosa é uma planta indicada para quartos de solteirões ou solteironas, pois eleva a autoestima e o amor-próprio e abre os caminhos para a energia do amor.

Dica: coloque um vaso de orquídea rosa próximo à janela do quarto para atrair o amor verdadeiro para o ambiente. Além disso, as flores secas atraem prosperidade se forem levadas junto do corpo ou queimadas.

Quartzo rosa

Carregue um cristal de quartzo rosa preferencialmente no meio dos seios ou no bolso, no lado direito. Na hora de dormir, coloque o cristal na mesa de cabeceira, tenha um em cima do computador, na gaveta de roupas íntimas, sempre visualizando e acreditando que um novo amor virá.

Atenção: lave esse cristal uma vez por mês em água com sal grosso e deixe no mínimo seis horas na luz do sol e seis horas na luz da lua. Precisamos santificá-lo para que funcione.

Ritual da lua cheia para o amor vir rápido

Ingredientes
- 1 bexiga branca
- 1 bexiga vermelha
- 18 tiras pequenas de papel branco
- caneta azul

Como fazer
Tem que fazer com muita fé! Em nove papéis, escreva: "Lua, quero um amor". Enrole cada papelzinho e coloque-os na bexiga branca. Nos outros nove papéis, escreva: "Sol, quero um amor". Enrole cada papelzinho e coloque-os na bexiga vermelha. Encha cada bexiga, preferencialmente com gás hélio. Não amarre, suba um morro e solte do topo as duas bexigas (o gás vai escapar, e elas vão "passear por aí"). Faça no primeiro dia da lua cheia. Escolha um horário: 9h, 12h, 21h ou meia-noite.

SIMPATIA PARA DESENCALHAR

Recebo muitas mensagens de mulheres desesperadas que estão chegando aos trinta anos e ainda não realizaram o sonho de namorar ou se casar e ficam impacientes e deprimidas. Meninas, isso é uma bobagem! Hoje em dia, não tem essa de idade, não. Mas devo dizer que parte dessa demora tem relação com o retorno de Saturno, como veremos nas pp. 83-4. Essa simpatia com certeza vai ajudar a resolver seu problema, minha filha! Faça às segundas-feiras, às 9h ou às 21h.

Ingredientes
- 1 vela
- 1 fita vermelha
- 1 vela redonda vermelha (como se fosse um tomate)
- 1 maçã
- 1 folha de papel sulfite
- 1 caneta
- fósforo

Como fazer
Faça um laço com a fita vermelha em torno da vela. Na folha sulfite, escreva uma carta para as almas encantadas pedindo que ajudem você a encontrar um amor. Por exemplo: "Queridas almas encantadas do Universo, preciso que me ajudem a ficar como vocês: encantada, linda, bonita, atraente e cheirosa. Preciso que todos os homens me olhem, que todos se sintam seduzidos por mim". Coloque a carta embaixo das velas. Acenda, com um fósforo, primeiro a vela com laço e depois a vela vermelha. Deixe a maçã ao lado das velas. Depois que as velas acabarem, procure uma árvore que não tenha espinhos e ponha a maçã aos pés dela.

Simpatia da salada de fruta encantada
Para dar *match* com o *crush*. Faça às sextas-feiras.

Ingredientes
- meia manga
- meia banana-nanica
- meia maçã
- meio abacate
- meia colher (sopa) bem generosa de mel
- 3 fatias de queijo branco

Como fazer
Pique bem as frutas e, em seguida, junte-as com o mel. Coloque a mistura numa vasilha e ponha as fatias de queijo branco por cima. Deixe na geladeira durante uma hora e meia e depois coma. O que sobrar, assim que ficar bem molinha, provavelmente de sexta para sábado, descarte na natureza.
 Dica: se quiser, também pode deixar um pouco da salada no altar em oferta à Vênus, a deusa do amor.

Simpatia para Santo Antônio
Santo Antônio é um poderoso santo casamenteiro, que era rico e escolheu viver na pobreza, pois queria ajudar todos os pobres. Além disso, ajuda as pessoas a namorar e a casar! Faça essa simpatia com fé no dia dele, 13 de junho, às 9h ou às 21h.

Ingredientes
- 1 quartzo rosa
- 1 caixinha
- 3 rosas na cor salmão
- 1 fita branca

Como fazer

Coloque o quartzo e as rosas na caixinha e a amarre com a fita branca. Faça um lacinho com nove nós, dizendo nove vezes: "Santo Antônio, me traga meu amor (nome da pessoa), quero conquistá-lo" ou "Santo Antônio, faça com que (nome da pessoa) queira se casar comigo". Na sequência, reze nove Pai-Nossos. Você deve guardar essa caixinha no guarda-roupa. Assim que conquistar seu amor, descarte o conteúdo da caixinha na natureza.

BANHO DE SANTO ANTÔNIO

Mais um ritual para Santo Antônio!

Ingredientes
• 2 litros de água
• 9 galhos de manjericão
• 9 galhos de salsinha

Como fazer

Macere bastante as ervas e as ferva na água. Deixe esfriar e se banhe do pescoço para baixo, dizendo a Santo Antônio que deseja muito um parceiro. Finalize rezando nove Pai-Nossos.

MAGIA DO ESPELHO

Todo mundo sabe que existe uma magia no espelho. "Espelho, espelho meu. Existe alguém mais bonita do que eu?", como no famoso conto de fadas da *Branca de Neve e os Sete Anões*.

Você já chegou a se olhar no espelho fixamente, lançando aquele olhar tão concentrado que os olhos parecem ficar vidrados, a ponto de achar que está vendo o reflexo de outra pessoa? Na verdade, o espelho é um portal para a espiritualidade, um perigo — e isso é sério, não se deve brincar com espelhos! Isso porque ele pode ser um portal para almas melhores e/ou almas piores.

Mas não se preocupe, a magia que vou ensinar a seguir é simples e não vai mexer com nenhuma alma. É sensacional! Faça às segundas-feiras ou às sextas-feiras, ao meio-dia ou às 21h.

Ingredientes
- 1 espelho
- 1 vela vermelha (se possível, em formato de coração)
- 1 folha de papel sulfite
- 1 caneta
- fósforos
- uma foto sua (de preferência 3 × 4)
- uma foto da pessoa amada (de preferência 3 × 4)

Como fazer
Escreva na folha seu nome e recorte o pedaço do papel, em formato de tirinha. Escreva em outro pedaço de tirinha o nome da pessoa que deseja ter ao seu lado. Na sequência, una as tirinhas uma na outra e coloque embaixo da vela. Pegue a foto da pessoa amada e sua foto e junte-as, posicionando uma foto de frente para a outra, como se vocês estivessem se beijando. Faça isso rezando o Salmo 111 (reveja na p. 36). Depois, diga: "Quero muito que (o nome da pessoa) me procure para que possamos namorar/nos casar. Peço para as almas encantadas do Universo que tragam esse amor para mim".

Prenda as fotos, ainda unidas, no espelho com fita adesiva (ou na moldura, caso ele tenha uma). Acenda a vela com fósforo e deixe as fotos assim até que a vela termine. Depois, retire as tirinhas de papel com os nomes de debaixo da vela e as prenda na parte de trás do espelho com fita adesiva.

Só retire do espelho as tirinhas e as fotos no dia em que a pessoa te pedir em namoro ou casamento.

CAMINHO DAS ROSAS

Faça em uma sexta-feira de lua cheia, em oferecimento à deusa do amor, Vênus!

Ingredientes
• 3 rosas cor-de-rosa

Rosa é a cor de Vênus e sexta seu dia, assim, esse ritual é bastante poderoso!

Como fazer
Ao sair de casa pela manhã, seja para o trabalho, seja para a faculdade, leve as rosas consigo. No trajeto de volta para a casa, vá deixando as pétalas das rosas pelo caminho. Vale jogar discretamente pela janela do ônibus ou do carro, ou ao caminhar na rua; sempre dizendo: "Vênus, traga o meu amor. Este é o caminho para o meu amor pisar". É como se o caminho das rosas fosse construído para seu amor te encontrar. Lindo, né?

VÊNUS, A DEUSA DO AMOR

Vênus, na mitologia romana, é a deusa do amor. Na mitologia grega é equivalente a Afrodite.

Com uma beleza considerada perfeita para os romanos, sua lenda tem duas origens: a primeira conta que ela é filha de Júpiter, deus do céu e do trovão, e de Dione, deusa das ninfas. A segunda versão é a de que Vênus

O nascimento de Vênus, de Botticelli.

nasceu da espuma do mar, de dentro de uma concha. É dessa segunda versão uma das imagens mais conhecidas da deusa do amor, do maravilhoso pintor renascentista Sandro Botticelli, na década de 1480.

Conta a lenda que os homens e muitos deuses admiravam a beleza de Vênus, o que causava a inveja e a ira de outras deusas. Por isso, as deusas Minerva, Diana e Vesta foram até Júpiter e sugeriram que ele arrumasse um casamento para Vênus, acreditando que isso resolveria a questão.

Júpiter ordenou que Vênus se casasse com Vulcano, o deus do fogo, que criou os raios que Júpiter usava para defender o céu. Mas, conta a lenda, que Vulcano era o deus mais feio do Olimpo. Vênus enxergou no casamento um castigo e traiu Vulcano diversas vezes, com deuses e mortais, tendo filhos com eles. Apaixonada por Marte, o deus da guerra, ela continuou a manter relações com ele até que Vulcano os flagrou. Marte abandona a deusa do amor, que o amaldiçoa.

Com Marte, ela teve alguns filhos. Entre eles, Cupido. Sim, ele mesmo! Um deus sedutor que logo chamou a atenção de Júpiter, que tinha medo dos danos que sua sedução poderia causar no Olimpo. Por isso, ordenou que Vênus desaparecesse com o filho e ela o escondeu em um bosque, onde foi amamentado por animais selvagens até crescer. Mais tarde, com suas flechas, ele passou a despertar grandes paixões nos humanos (quem quiser mais dicas sobre o Cupido, leia meu livro *Anjos*).

A MAGIA DE VÊNUS

A época favorável para se fazer esta magia é de 23 de setembro a 22 de outubro.

Ingredientes
- 1 vela de coração
- essência de sândalo
- 1 pedra de quartzo rosa, no formato de coração

Como fazer
Borrife a essência no local onde você irá fazer o ritual. Acenda a vela com o coração de quartzo rosa ao lado. Clame ao anjo Ariel que coloque na sua vida um amor que te faça feliz. Ore ao anjo. Após terminar a vela, guarde o coração de quartzo com suas roupas íntimas.

Dica: não faça este ritual se estiver irritada por qualquer motivo.

A MAGIA DAS SEREIAS

As sereias são seres encantados cultuados nas religiões de origem africana e integram a mitologia de vários povos. Elas representam a beleza, a paixão, a sensualidade, a fertilidade e a essência feminina.

Vamos aproveitar toda essa magia das sereias para ampliar seu poder de atração, de sedução e para conquistar o amor verdadeiro para sua vida.

Ingredientes
- 1 litro de espumante rosé
- 1 litro de espumante branco
- 1 colher (sopa) de açúcar mascavo
- pétalas de uma rosa amarela

Como fazer
Misture tudo muito bem. Banhe-se do pescoço para baixo após seu banho higiênico. Faça em uma segunda-feira.

A MAGIA DAS FADAS

Que as fadas existem, eu não tenho a menor dúvida! Elas são as elementais do amor, têm asinhas e amam docinhos. Que tal você ter seu cantinho das fadas em casa? É ótimo para conquistar um amor. Sabe a personagem Sininho, das histórias de Peter Pan? Sempre tenha em mente uma fada como ela: poderá curar seu coração partido e sua carência afetiva te trazendo um grande amor.

Ingredientes
- 1 litro de água
- 1 colher (sopa) de camomila
- 2 galhos de alecrim
- 3 gotas de essência de baunilha
- 2 canelas em pau
- 1 colher (sopa) de açúcar mascavo

Como fazer
Ferva este chá com todos os ingredientes durante quatro minutos, coe e banhe-se do pescoço para baixo, mentalizando o amor chegando em sua vida. Faça em uma segunda-feira.

BANHO AFRODISÍACO
Sabe aquela sensação mágica de "estou arrasando"? Este preparo vai potencializar sua autoconfiança e seu poder de sedução. E, claro, sentir-se sensual aumenta a chance de conquistar alguém. Seduza, minha filha!

Ingredientes
• 2 litros de água mineral
• essência de patchouli
• 1 fatia de abacaxi picadinha

Como fazer
Ferva dois litros de água mineral. Quando a água ferver, desligue o fogo. Acrescente oito gotas de patchouli e o abacaxi. Tampe e aguarde até a água ficar em temperatura agradável. Após o banho higiênico, coe e jogue do pescoço para baixo. Espere três minutos e enxugue-se levemente. Faça em uma sexta-feira de lua crescente.

BANHO DE JURUBEBA
A jurubeba é dedicada a Júpiter. As propriedades medicinais dela são conhecidas há mais de 3 mil anos. Egípcios e gregos a apreciavam pelo sabor suave e calmante. Seu arbusto cresce sobretudo na Europa Meridional e na Ásia Menor.

Diurética, desobstruente tônico, anti-inflamatória. Emprega-se popularmente com bom resultado para combater as icterícias, cistites, febres intermitentes, prisão de ventre e as inflamações do baço. Externamente, empregam-se as folhas amassadas sobre machucados. A raiz é indicada nas dispepsias atônicas e na diabete. Desobstruente do fígado.

Ingredientes
• 3 folhas de jurubeba
• 1 litro de água

Como fazer
Macere bem as folhas na água, coe e jogue do pescoço para baixo. Um dia bom para este banho é a terça-feira.
   Dica: use como poção afrodisíaca! Misture algumas gotas de seu perfume ao banho de jurubeba e espalhe no quarto quando for ter um encontro amoroso.

A MAGIA DA MELISSA
Seu banho é usado para influenciar o amor!

Ingredientes
• 1 taça de vinho
• ramos de melissa

Como fazer
Mergulhe a erva em vinho por várias horas, coe e compartilhe com um amigo ou carregue a erva para encontrar o amor.
   Dica: também é usada por meio de incensos e sachês para cura mágica.

MALVA
A malva-cheirosa é uma planta herbácea com importantes funções. Tem propriedades emolientes, suavizantes e anti-

-inflamatórias das membranas e mucosas. Também tem efeito laxante quando ingeridas as folhas e as flores. Sua infusão é muito usada para inflamações dos olhos.

EXTRATO DE MALVA PARA QUEBRAR FEITIÇOS

Se carregado junto de você, atrai amor. Faça um óleo com essa erva macerando suas folhas e terá um extrato. Deixe um tempo guardado. Além disso, esse óleo o protege de maldições e afasta feitiços do mal.

Outra dica é colocar um galho de malva embaixo do colchão, na altura da cabeça da pessoa, o que fará com que o marido pare de reclamar ou encher o saco. (No caso da esposa, coloque um galho de melissa.)

BANHO ENERGÉTICO PARA QUEM DESEJA SE CASAR

Ingredientes
• 2 litros de água
• 1 punhado de alfazema

A alfazema restabelece o equilíbrio energético de nosso corpo e apresenta o poder de atrair o sexo oposto. Para os homens, a alfazema melhora, consideravelmente, os relacionamentos; para as mulheres, certamente, também vai ajudá-las a atrair o verdadeiro amor, além de promover abertura de caminhos com muito sucesso.

Como fazer
Ponha a água para ferver. Desligue o fogo, coloque um punhado de alfazema e tampe o recipiente. Deixe o preparo descansando até que esteja em temperatura ambiente. Banhe-se do pescoço para baixo após o banho higiênico às sextas-feiras. Durma com o banho.

GARRAFADA PARA O AMOR I
Ingredientes
- 1 garrafa de vidro verde (1 litro)
- 1 punhado de alcaçuz
- mel

Como fazer
Coloque o alcaçuz na garrafa e cubra com mel. Utilize essa mistura para preparar doces ou adoçar bebidas. Para cada receita preparada, peça para que o amor verdadeiro apareça em sua vida. Se você já tem alguém, ofereça a receita a essa pessoa, pedindo harmonia entre vocês. Faça numa sexta-feira.

GARRAFADA PARA O AMOR II
Ingredientes
- 1 garrafa de vidro verde (1 litro)
- 800 ml de mel de flor de laranjeira
- 1 botão de rosa vermelha (somente as pétalas)
- 4 damascos secos picados
- 40 g de maçã seca
- 1 pedaço de gengibre

O mel da flor de laranjeira proporciona vitalidade, purificação e energização. A rosa vermelha eleva a sensualidade, desperta sentimento de amor, de paixão. O damasco é uma fruta afrodisíaca por excelência, proporciona vitalidade e fortalece a energia sexual. A maçã simboliza amor e paixão. O gengibre possui propriedade estimulante e afrodisíaca.

Como fazer
Coloque na garrafa o mel e todos os outros ingredientes. Deixe descansar em local escuro por 28 dias. Após esse período,

você poderá utilizar uma colher de sobremesa para banhos energéticos (ferva a água, deixe amornar e banhe-se do pescoço para baixo após o banho higiênico, às sextas-feiras). Você poderá utilizar também em chás para abrir os caminhos para o amor e a autoestima. Essa garrafada poderá ser usada para adoçar bolos e bebidas, e deve ser preparada no primeiro dia de lua cheia, no horário de sua preferência.

SIMPATIA DA POMBAGIRA PARA ATRAIR O AMOR VERDADEIRO

Ingredientes
• 1 taça de vidro
• champanhe rosé

Como fazer
Vá para um jardim florido. Lá, pegue a taça, enche-a com a champanhe e diga: "Laroiê, laroiê, laroiê Pombagira. Quero agradecer você que me acompanha, vim te trazer esta oferta e quero te pedir este milagre (faça os pedidos amorosos). Após a concretização do milagre, vou te trazer sete taças de champanhe como agradecimento. Laroiê, laroiê, laroiê". Faça numa segunda-feira, entre 9h e 18h.

RITUAL PARA AGRADAR A POMBAGIRA

Deve-se usar um perfume doce, não cítrico. As mulheres devem passá-lo em volta dos mamilos, entre os seios, na virilha, no cóccix, no pulso, atrás das orelhas, na nuca e na curvatura do pé. Os homens devem passar na virilha, em volta do mamilo e no cóccix. Ao passar o perfume, faça a forma de uma cruz.

RITUAL DO ALECRIM PARA O AMOR VERDADEIRO

Se você estiver em dúvida sobre sua escolha amorosa, plante alecrim em dois ou mais vasos, de acordo com o número de pretendentes. Marque o nome deles nos vasos, e o que crescer primeiro será sua melhor escolha. Se você ainda não tiver nenhum pretendente, não tem problema. Coloque um punhado de alecrim em um saquinho vermelho e carregue-o consigo para atrair o amor verdadeiro. Um dia bom para preparar este ritual é a sexta-feira.

Poção do amor poderosa
Ingredientes
- 1 xícara (chá) de água quente
- 3 flores de hibisco-vermelho
- 3 pitadas de canela em pó
- 9 cravos-da-índia
- 3 pitadas de gengibre em pó
- 1 pitada de fava de pixuri ralada
- pedacinhos de ameixa roxa
- mel

Os feiticeiros de algumas ilhas do Pacífico fazem adivinhações mirando tigelas com água contendo algumas flores de hibisco. É também muito utilizada para a decoração dos altares e círculos mágicos nas celebrações do Beltane e do Solstício de Verão.

Como fazer
Coloque tudo na xícara e reserve. Beba fazendo seus pedidos amorosos. Faça numa sexta-feira.

PASSO 3: ENCONTREI MEU AMOR. E AGORA?

Um relacionamento, como já falamos, não é amorzinho, flores e beijinhos o tempo todo. Aliás, na maior parte do tempo é algo muito diferente.

Já falei também da importância da responsabilidade emocional (ou afetiva) no começo do livro. É sempre bom lembrar disso!

Outra coisa que temos que ter sempre em mente é a importância do diálogo. Um relacionamento com muita conversa e troca tem mais chance de dar certo. Converse com seu/sua parceiro(a)! Por exemplo: você se incomodou com algo que ele disse ou fez, vá lá e fale! Diga: "Fulano, por que você falou dessa maneira?". Muitas vezes, a pessoa nem percebe que pode estar chateando a gente. E esse tipo de troca é muito saudável.

Nem sempre é possível evitar discussões, mas, se alguma desavença acontecer, tentem resolver o mais rapidamente possível. E jamais durmam brigados!

A seguir, separei rituais e simpatias preciosos que vão ajudar no seu relacionamento/casamento.

SIMPATIA PARA O MARIDO NUNCA PERDER O TESÃO

Com essa simpatia, haverá uma mudança positiva na vida a dois, reavivando a paixão entre o casal. Faça na lua crescente.

Ingredientes
- 1 copo de leite
- 1 colher (sopa) de mel

- 1 colher (sopa) de geleia de morango
- 1 colher (sopa) de chocolate em pó
- 1 colher (sopa) de açúcar mascavo

Como fazer
Em uma tigela misture tudo e deixe ao luar. No dia seguinte, bata bem a mistura no liquidificador e coloque as peças íntimas de ambos de molho nela por 24 horas. Depois enxágue, deixe secar e guarde normalmente no guarda-roupa.

SIMPATIA DE SANTO ANTÔNIO PARA AS CASADAS
Santo Antônio vai ajudar a deixar seu marido mais apaixonado ainda por você. Faça no dia do santo, 13 de junho, ou no primeiro dia de lua crescente.

Ingredientes
- 1 pedaço da barra da calça do seu marido (pode ser de uma calça velha) ou um lenço dele
- 3 canelas em pau
- 48 cravos-da-índia

Como fazer
Costure as especiarias dentro do tecido, depois coloque num saquinho e pendure na cabeceira da cama no lado em que seu marido dorme. Peça a Santo Antônio para que ele fique mais apaixonado, para que te ame e te deseje mais.

JASMIM NO QUARTO DO CASAL
O quarto do casal é um ambiente reservado à privacidade, aos momentos de intimidade e prazer, amor, paixão, relaxamento e renovação de energias. De acordo com um estudo da Wheeling University, nos Estados Unidos, o perfume do

jasmim promove um sono calmo e profundo e ajuda a evitar aquela ansiedade que, às vezes, te deixa acordada(o) à noite. Pessoas expostas ao aroma do jasmim se mexem menos enquanto dormem e têm uma noite de sono de melhor qualidade. Para o casal, o jasmim promove união, atração e admiração.

Atenção: nunca coloque plantas com espinhos ou pontas nesse cômodo, pois isso atrairá briga entre o casal.

Dica: faça um spray de jasmim com 200 ml de água e 10 ml de óleo de jasmim. Esse spray pode ser aspergido ao redor da cama, diariamente. Isso fará com que a relação esteja sempre fortificada e também trará mais vitalidade à vida amorosa do casal.

BANHO PARA AUMENTAR A FERTILIDADE

Para ajudar os casais que querem aumentar a família. Você está com dificuldades para engravidar? Então, não deixe de preparar este maravilhoso banho e atraia assim a energia da fertilidade que tanto deseja.

Ingredientes
- 2 litros de água
- 3 galhos de arruda
- 3 galhos de alfavaca
- cominho a gosto

A arruda promove limpeza energética, vitalização, corta negatividades, afasta o famoso "olho gordo". A alfavaca proporciona limpeza energética de nossa aura, atrai bons fluidos de saúde, prosperidade para nossos desejos. O cominho resgata a energia vital, promove proteção energética e espiritual.

Como fazer

Ferva todos os ingredientes na água. Deixe amornar. Após o banho higiênico, banhe-se com o preparo do pescoço para baixo. Durma assim, sem enxaguar. Faça no primeiro dia de lua nova.

"PAVÊ" ACALMA MARIDO

Se você e seu marido andam discutindo muito, prepare esse "pavê" para acalmar os ânimos dele e deixá-lo calminho. Faça numa sexta-feira de lua cheia.

Ingredientes
- 1 folha de papel sem pauta
- 1 lápis
- 1 tesoura
- 1 xícara (chá)
- 1 colher (sopa) bem cheia de pó de café
- 1 colher (sopa) bem cheia de açúcar cristal
- 1 colher (sopa) bem cheia de mel
- 1 rosa branca
- papel-filme

Como fazer

Escreva a lápis o nome do parceiro na folha branca e recorte. Dobre esse pedaço em quatro partes. Coloque dentro de uma xícara de chá e vá adicionando o pó de café, açúcar, mel, pétalas da rosa branca, camada por camada, como num pavê. Embale a xícara no papel-filme e guarde no seu guarda-roupa por 21 dias. Depois descarte a mistura na natureza.

RITUAL CONTRA A INVEJA NO SEU LAR

O clima no seu lar está pesado? As coisas começaram a quebrar ou pararam de funcionar de repente? Você e seu marido começam a brigar sem mais nem menos? Tudo isso pode ser devido à inveja de outras pessoas. É importante que os dois façam o banho a seguir para afastar essa vibração negativa. Lembre-se: inveja é pior do que macumba! Faça às segundas-feiras.

Ingredientes
- 2 litros de água
- casca da cabeça de 1 alho
- 1 colher (sopa) de sal grosso

Como fazer
Ferva a água e depois coloque nela a casca de alho e o sal grosso. Reserve por duas horas. Se possível, deixe o conteúdo tomar sol das 11h às 13h. Por fim, coe e banhe-se do pescoço para baixo. Não enxágue.

Rituais para estimular a vida sexual
Seguem maravilhosas dicas para a falta de libido, tanto para os homens quanto para as mulheres!

Banho 1
Ingredientes
- 2 litros de água
- 1 maçã
- 1 pera
- 1 canela em pau
- 6 cravos-da-índia
- 1 colher (sopa) de açúcar mascavo
- pétalas de uma rosa vermelha
- 6 gotas de um perfume doce
- 2 anises-estrelados

• 1 anel de ouro (uma aliança, por exemplo) — o anel simboliza a luxúria, o tesão

Como fazer
Ferva todos os ingredientes na água até que esse banho fique bem cheiroso e consistente. Coloque o anel na mistura e deixe amornar. Coe. Jogue do pescoço para baixo após o banho higiênico. Durma com o banho. Faça numa sexta-feira.

Banho 2
Ingredientes
• 2 litros de água
• 6 flores de laranjeira
• 6 anises-estrelados

Como fazer
Ferva todos os ingredientes na água. Deixe amornar. Coe. Jogue da cabeça aos pés após o banho higiênico. Durma com o banho. Faça numa segunda-feira, na lua crescente, no horário de sua preferência.

Banho 3
Ingredientes
• 2 litros de água
• 10 gotas de perfume (de sua preferência)
• 10 gotas de óleo de amêndoas
• 6 flores de laranjeira
• pétalas de uma rosa amarela
• papel branco
• lápis

Como fazer
No papel branco, escreva, a lápis, sete vezes seu nome completo. Ferva todos os ingredientes na água, inclusive o papel branco no qual escreveu seu nome. Deixe amornar. Coe. Banhe-se do pescoço para baixo após o banho higiênico. Durma com o banho. Faça numa quarta-feira.

Banho 4
Ingredientes
- 2 litros de água
- 6 folhas de louro
- 6 folhas de manjerona
- 6 folhas de levante

Como fazer
Ferva todos os ingredientes na água. Após a fervura, tampe o recipiente por uns quinze minutos. Deixe amornar. Coe. Banhe-se do pescoço para baixo após o banho higiênico. Durma com o banho. Faça numa quarta ou quinta-feira.

Dica: se você não tiver acesso às folhas citadas, compre 100 gramas de cada erva seca.

Banho 5 (Este é especial para as mulheres!)
Ingredientes
- 1 litro de água
- 100 gramas de jasmim desidratado

Como fazer
Ferva a água e coloque o jasmim. Deixe amornar e, após seu banho higiênico, jogue na altura do chacra básico (da base da coluna vertebral até os órgãos sexuais), dos joelhos aos pés, ou coloque em uma bacia e faça um banho de assento. Faça o banho uma vez por semana, no dia de sua preferência.

Banho 6

Ingredientes
- 2 litros de água morna
- 1 colher (sopa) de noz-moscada
- 3 flores brinco-de-princesa

As flores do tipo brinco-de-princesa têm poder de aproximar as pessoas através do sentimento do amor, além de ativar o amor presente em nosso coração. A noz-moscada atrai prosperidade e promove fluidez energética.

Como fazer
Macere as flores na água morna. Acrescente a noz-moscada. Misture tudo muito bem e coloque em uma bacia. Em seguida, depois do banho higiênico, sente-se na bacia por uns cinco minutos. Não enxágue, apenas enxugue-se. Durma normalmente. Faça no dia da semana de sua preferência.

CAVALINHA

A cavalinha promove sentimento de doçura pela vida e no amor, elimina a energia de ódio sem motivos, desperta alegria, otimismo, elimina a raiva, acalma o espírito, limpa o sentimento de inveja e ciúme em relação ao próximo, estimula a solidariedade, proporciona equilíbrio emocional, combate a ansiedade e a compulsividade, eleva a libido.

Esfregue uma cavalinha na virilha para ativar a energia sexual! Também pode fazer o banho a seguir:

Ingredientes
- 2 litros de água
- 1 punhado de cavalinha

Como fazer
Ferva a água. Em seguida, coloque a cavalinha. Tampe o recipiente. Deixe amornar e coe. Após o banho higiênico, banhe-se do umbigo para baixo com esse preparo. É maravilhoso para esquentar a relação amorosa! Faça às terças-feiras.

Catuaba

A catuaba é um tipo de arbusto originário da Amazônia. Além de melhorar o processo digestivo, ela interfere nos impulsos nervosos motores por causa de uma substância denominada ioimbina, que penetra com facilidade no sistema nervoso central.

Ela aumenta ainda a pressão arterial e a frequência cardíaca, melhorando a circulação sanguínea e intensificando a ação motora.

Guaraná

O guaraná, que é um estimulante, aumenta a resistência durante os esforços mentais e físicos, retarda a fadiga, aumenta a rapidez e a clareza dos pensamentos, ajuda no apetite, combate o envelhecimento precoce, auxilia o organismo na desintoxicação do sangue, regula o ritmo cardíaco, combate a obesidade, a dispepsia (dificuldade na digestão) e a arteriosclerose (endurecimento da parede das artérias e aumento da tensão arterial).

A planta, que é considerada como adaptogênica (reforça o organismo), é utilizada para tratamento de enxaquecas e nevralgias (dor intensa nos nervos periféricos). Também é utilizada como diurético (produz mais urina) e antidiarreico (previne a diarreia). Há quem a utilize também como um ligeiro afrodisíaco. Não podemos deixar, porém, de mencionar que, quando ingerida em excesso, esta bebida pode provocar efeitos secundários, como insônia, azia e, em alguns casos, certa dependência.

O pó de guaraná pode aumentar a potência sexual e, para isso, a dose recomendada é uma colher de café (2 g) ao meio-dia com um copo de sumo de frutas.

PÓ DE BRUXINHA

O pó de bruxinha é um poderoso estimulante sexual, também conhecido como pó mágico. É ideal para quem teve um dia cansativo, está esgotado fisicamente, mas não deseja abrir mão dos momentos de prazer, pois seus ingredientes energéticos proporcionam maior disposição física e aumentam a libido.

Ingredientes
• 1 colher (sobremesa) de catuaba em pó
• 1 colher (sobremesa) de guaraná em pó
• 1 pitada de canela em pó

Como fazer
Misture todos os ingredientes e os adicione à sua bebida predileta. Pode ser no suco, por exemplo. O efeito energético e afrodisíaco do pó pode variar em intensidade e tempo de duração, de acordo com a quantidade ingerida.

VERBENA

Essa planta possui propriedades digestivas, relaxantes, sedativas, sudoríferas, afrodisíacas, febrífugas, antirreumáticas, anti-inflamatórias, analgésicas, adstringentes, depurativas (age na desintoxicação alimentar, aumenta a eliminação de toxinas e combate a ação de radicais livres), anticoagulantes, anticancerígenas e tônicas. Energeticamente, a verbena ajuda a deixar a vida sexual do casal mais movimentada, graças ao fato de ser dotada de propriedades afrodisíacas, além de ser fertilizadora.

Sachês mágicos de verbena podem apimentar o relacionamento amoroso. Para isso, confeccione pequenos saquinhos vermelhos recheados da erva e deixe-os embaixo da cama do casal. Troque os saquinhos a cada três meses.

Ciúme é tóxico

Nós, seres humanos, nascemos puros, mas com o andar da carruagem, tudo na vida se transforma, muda, e estamos constantemente interagindo com o meio em que vivemos.

É da natureza humana o sentimento de bondade e o de maldade, sentimentos de luz e sentimentos sombrios. Lidar com essas dualidades não é nada fácil, principalmente quando não sabemos diferenciar de fato um bom de um mau sentimento.

E o ciúme e o sentimento de posse estão aí, nos testando a todo momento. São considerados sentimentos sombrios na maior parte das vezes, afinal, quando amamos alguém, sempre desejamos uma prova de amor maior, e isso pode causar infinitas encrencas.

O sentimento de posse faz parte da natureza de todos os animais, e nós também fazemos parte disso. O que ocorre com as pessoas é que elas potencializam esse sentimento de acordo com seus valores e suas crenças em vez de pensarem na harmonia e no equilíbrio dos próprios sentimentos.

A partir daí, iniciam-se vários problemas, tais como: orgulho, insegurança, instabilidade familiar, egoísmo, sentimento de exclusão, frustrações, desequilíbrios emocionais, entre muitos outros, agravando-se cada vez mais o quadro.

Pela visão espiritual, temos duas vertentes potencializadoras: o baixo padrão vibratório/energético e o problema da obsessão.

O baixo padrão energético nos leva a ruínas. Ficamos à mercê de pensamentos negativos, pessimistas, ficamos cegos, não conseguimos enxergar a beleza da vida, enfim, tudo se potencializa para pior.

Em relação à obsessão, aqui se perde o controle dos próprios sentimentos. Os relacionamentos se tornam conflitantes, com paranoias, desconfianças constantes, discussões, brigas, falta de respeito e, por fim, isso se transforma em um círculo vicioso, abrindo portas para os espíritos inferiores influenciarem sua vida. Tudo vira um caos total em sua existência com a presença de espíritos obsessores. Pense nisso!

Imagine só a que ponto chega o ciúme, se for um sentimento descontrolado! Assim, um relacionamento — seja amoroso, de amizade ou familiar — que está baseado nesse sentimento pode gerar ira, desrespeito, ansiedade, insatisfação, tristeza, ódio, decepção e vergonha. Isso significa sofrimento para ambas as partes, para quem sente e para quem é objeto de ciúmes.

É hora de parar, relaxar a mente e refletir com mais consciência dos seus atos: o que em você pode estar causando tal sentimento? O ciúme destrói e acaba fazendo com que o seu maior medo se torne realidade, isto é, a perda do outro. Não se permita essa dor nem cause isso a quem você ama.

Então, o que precisamos fazer para mudar essa realidade? É preciso trabalhar o EU interior em busca de equilíbrio, paz, harmonia e amor-próprio. Entenda e aceite que você é um ser único, Divino, sábio, repleto de luz, e é por isso que você é amada. Em vez de controlar o outro, se afirme, cuide da sua mente, de seu corpo, de seu espírito, tornando-se ainda mais atraente e querida. Ninguém é dono de ninguém! Pense nisso com carinho. Veja: se para trazer um filho ao mundo existe uma parceria entre nós e Deus, e no fim das contas nem nosso filho é de fato nosso (afinal, ele é de Deus), imagine então se um marido ou um namorado vai ser. Não deixe que o ciúme, o sentimento de posse, ou qualquer outro sentimento maléfico, interfira em suas atitudes.

SIMPATIA PARA ACABAR COM O CIÚME
Ingredientes
- 1 peça de roupa íntima de seu amado
- 1 peça de roupa íntima sua
- 1 fita vermelha de aproximadamente um metro

Como fazer
Junte uma roupa íntima de seu amor com uma sua. Enrole-as e amarre-as com a fita vermelha. Em seguida, faça um laço bem bonito e charmoso. Guarde em sua gaveta de roupas íntimas com muito amor e carinho. Faça no primeiro dia de lua minguante.

A ENERGIA DAS PEDRAS PARA MANTER UM BOM AMOR
Os cristais podem ajudar — e muito! — a manter as boas energias no relacionamento amoroso.

Quartzo rosa

Esse maravilhoso cristal é conhecido como a pedra do amor e do coração, portanto, estimula nossa capacidade de amar, de viver o amor incondicional. A energia desse cristal dissolve mágoas, ressentimentos, sentimentos negativos acumulados em nosso coração e promove a harmonia na vida a dois, a virtude da compreensão, carinho e sabedoria.

Coloque o quartzo rosa em seu quarto com quaisquer elementos que remetam ao amor (fotos do casal, por exemplo). Mas, antes de fazer isso, analise a si mesma. Como você está? Se não estiver legal, mude sua energia imediatamente com pensamentos positivos e treine sua mente para atrair a energia do amor. Você também pode usar a pedra associada a um apetrecho, por exemplo, joias, colares, amuletos.

Coral rosa

Este cristal promove a tranquilidade no ambiente, acalma as emoções, neutraliza as energias negativas no relacionamento amoroso, fortalece o sentimento do amor, aumenta a energia e a vitalidade. Desde a Antiguidade, os corais eram utilizados como objeto mágico e de proteção contra vibrações negativas. Deixe o cristal em um local de sua preferência e emane ótimas energias a ele.

Rubi

Simboliza amor, fidelidade, parceria. Certamente, eleva o sentimento do amor, carinho, ternura, fidelidade entre o casal. Essa pedra ainda apresenta a magia de proteção contra brigas, intrigas, desentendimentos; tem o poder de despertar a paixão no relacionamento amoroso, é considerada um amplificador de energia. O rubi pode ser usado como apetrecho em uma pulseira ou anel, por exemplo.

Jade
Muito utilizado como amuleto, esse cristal nos traz o equilíbrio emocional no relacionamento amoroso, a alegria de volta, nos proporciona o entusiasmo de viver, promove a paz interior. Desde a Antiguidade, os maias já o utilizavam como amuleto do amor e da amizade. A jade é considerada a essência concentrada do amor. Não é à toa que os chineses acreditam muito no seu poder. Eles costumam carregá-la na bolsa, por exemplo, de modo que tenham sempre à mão essa maravilhosa magia do amor.

SIMPATIA PARA A FIDELIDADE
Ingredientes
• 3 velas brancas
• 1 vela azul
• 1 vela rosa
• papel branco
• caneta
• fósforo

Como fazer
Escreva em um papel branco o nome dos dois (seu e da pessoa amada) e a seguinte frase: "Anjo Hakamiah, nos proteja de qualquer traição". Coloque o papel sob as velas e acenda-as com o fósforo. Deixe as velas queimarem até o fim. Faça no primeiro dia de lua cheia.

PARTE 2

DICAS, ASTROLOGIA, NUMEROLOGIA E CONSELHOS PARA A VIDA AMOROSA

1. FAQ SOBRE ESPIRITUALIDADE E RELACIONAMENTOS

Várias pessoas têm dúvidas e nutrem curiosidade sobre os mais diversos aspectos da espiritualidade. O que acontece depois da morte? Existe céu e inferno? Vou reencontrar meu ente querido falecido um dia? O que é reencarnação? Como saber se tenho encosto? E, claro, com os assuntos amorosos não seria diferente. Conhecer e estudar a espiritualidade pode nos revelar muitas respostas também na área dos relacionamentos. Fiz um FAQ com algumas dessas respostas neste capítulo.

QUAL A DIFERENÇA ENTRE ALMA GÊMEA E ALMA IDÊNTICA?

Acreditar em alma gêmea é romantizar ou idealizar o amor, porque ela não existe; afinal, ninguém é igual a ninguém. Nem idêntico. Então podemos dizer que existem, sim, almas parecidas, almas afins. Aquela pessoa que está na mesma vibe, que gosta das mesmas coisas que você. Por exemplo, ambos gostam de viajar, ler livros etc. Aliás, na espiritualidade, almas de convívio antigo é um negócio muito difícil de achar. São almas muito velhas, que estão há mais de milhões de anos juntas e que se identificam assim que se olham.

E atenção: não existe apenas uma alma parecida ou compatível conosco. Por exemplo, um filho pode ser uma alma parecida. Ou algum amigo. Aquela pessoa que você olha e se reconhece, se identifica e sente cumplicidade e entendimento mútuos. Eu, por exemplo, tenho dois filhos e amo muito ambos. Mas um deles, o Fábio, é uma alma extremamente compatível comigo. O Marcelo, meu outro filho, é um amigo. Ele me chacoalha, me diz quando estou errada, é crítico comigo. Não vivo sem ele! Agora o Fábio, temos uma sintonia muito forte, é uma alma quase idêntica à minha. Portanto, não espere encontrar sua alma parecida apenas em relacionamentos amorosos.

E mais: precisamos deixar de lado a história de cara-metade ou metade da laranja, como diz a música. Cada pessoa é na verdade uma laranja INTEIRA! Assim, quando você encontra uma pessoa para dividir a vida, vocês são uma laranja ao lado da outra, ok? Nada de metade com metade!

TODAS AS PESSOAS COM QUEM NOS RELACIONAMOS AMOROSAMENTE NESTA VIDA JÁ FORAM NOSSOS PARCEIROS AMOROSOS EM VIDAS PASSADAS?

Quando nasce um filho fruto desse relacionamento, sim. O que existem são laços eternos familiares. Isso quer dizer que ao longo de nossas reencarnações nossos parentes podem mudar de função. Por exemplo, pode ser que seu marido hoje tenha sido um filho ou um irmão em outra vida. E estar nesta vida com determinada estrutura familiar ou relacionamento amoroso é fruto de nossos créditos e débitos de encarnações anteriores. Além disso, reencarnamos quantas vezes forem necessárias para nosso desenvolvimento e evolução. E casamentos espirituais, ou seja, de almas que se amam ou se respeitam, claro que são para sempre. Mesmo que durem aqui na Terra, por exemplo, apenas cinco anos. Trata-se de uma relação entre amigos espirituais.

Então, nem venha achar que aquele cara casado com quem você sai, o seu amante, é seu parceiro de outra vida e blá-blá-blá. "Ai, ele é minha alma antiga, nos reencontramos, e o raio que o parta." Isso aí é só tesão, minha filha! Ficam juntos na sexta, depois no fim de semana o cara nem lembra que você existe e você fica deitada na cama suspirando. Sua bobona, acorda pra vida!

ATÉ QUE PONTO A ESPIRITUALIDADE INTERFERE NA FELICIDADE OU INFELICIDADE DE UM CASAMENTO?

Se você ou seu companheiro tiverem encosto, haverá muitas brigas e desentendimentos no relacionamento. O mesmo ocorrerá se sofrerem inveja das pessoas.

Quando se está espiritualmente mal, isso influencia o casamento. Alguns sinais de alerta são: queda de cabelo, zumbido no ouvido, dor de cabeça, dor no corpo e brigas bobas que surgem do nada.

Uma ótima forma de se livrar disso é fazer um curso de reiki, especialmente os nativos de touro, libra, virgem e capricórnio, pois têm uma mediunidade aflorada. Os espíritos ruins sugam a energia da alma, o ectoplasma, pelo umbigo. Assim, você poderá se autoaplicar e aplicar no(a) seu(sua) companheiro(a) e realinhar os chacras.

Faça também o "Ritual contra a inveja no seu lar" das pp. 56-7 para espantar essas energias ruins.

TRABALHOS ESPIRITUAIS E AMARRAÇÕES FUNCIONAM PARA UNIR CASAIS?

Nunca faça qualquer trabalho desse tipo ou amarração! Todos temos livre-arbítrio para fazer nossas escolhas, e interferir nessa lei universal trará consequências graves e perigosas tanto para quem solicita, como para quem recebe e para o feiticeiro que executar. Podendo, até mesmo, respingar nas pessoas da família dos três. E importante: as partes envolvidas também ficam sem nenhum tostão!

ME APAIXONEI POR UM HOMEM/MULHER CASADO(A). PODERIA TENTAR DE TUDO — ATÉ TRABALHOS — PARA CONQUISTÁ-LO(A)?

Não, não e não. Ou você quer criar um carma? Pare de cobiçar o homem ou a mulher dos outros. Você já se colocou no lugar dessa pessoa? Já imaginou se fosse você a pessoa casada e tivesse alguém invejando ou fazendo "qualquer coisa" para tirá-lo de você? Pratique a empatia e tenha sempre em mente: você não pode desejar aquilo que não pode ter! Para de ser doida!

PESSOAS QUE SE CASAM E TÊM CRENÇAS DIFERENTES TÊM CHANCE DE SEREM FELIZES JUNTAS?

Com certeza! Existem algumas religiões que são mais sistemáticas, mas nada impede que, com diálogo e respeito, um casal com religiões diferentes consiga conviver bem. É preciso que as duas partes cedam. Ou mesmo se um é religioso e o outro ateu, cada um na sua e dá certo.

A PESSOA QUE DESEJA, MAS NÃO CONSEGUE SE CASAR, ESTÁ SENDO PUNIDA POR ALGUM CARMA DE VIDAS PASSADAS?

Antes de tudo, não se trata de punição, mas sim de fazer valer os débitos e créditos que todos temos. O famoso colhemos o que plantamos. Trazemos carmas de vidas passadas, então, sim. Pena daqueles que estão trazendo certos débitos de outras vidas que os impedem de viver um relacionamento amoroso ou mesmo um casamento nesta existência, mesmo desejando muito.

Você pode ter o carma de ser solteira, mas cada caso é um caso. Por exemplo, existem pessoas que tiveram cinco casamentos em vidas passadas, traíram o(a) companheiro(a) em todos e nesta encarnação voltam sozinhas para aprender.

Apenas numa consulta individual, através do mapa astrológico, é possível compreender o porquê disso e organizar rezas e rituais para que você converse diretamente com o Pai Altíssimo e peça para diluir esse carma.

2. ROMANCE ESCRITO NAS ESTRELAS

Nos dias atuais, a durabilidade dos relacionamentos tem sido cada vez menor. Como nos tornamos gradativamente mais perdulários no campo material — perdemos o hábito de consertar ou reparar objetos, eletrônicos e móveis de nossa casa e preferimos adquirir novos —, estamos também transferindo esse modo de agir para nossos relacionamentos e, no menor sinal de crise, descartamos quem está ao nosso lado, sem paciência e compreensão, e já o substituímos por outra pessoa. Afinal, o que importa é estar sempre atualizado e não perder tempo, não é mesmo?

Infelizmente, não. Ao nos envolvermos em relacionamentos descartáveis, recebemos a energia do outro em nós, principalmente através das relações sexuais. Muitas das pessoas com as quais nos relacionamos, se pudéssemos ver o estado astral, levaríamos um tremendo susto. São pessoas cercadas por encostos, obsessores e seres que as manipulam energeticamente. E, ao nos abrirmos para essas pessoas, trazemos todas essas energias para nossa vida.

E, pior, a tendência é encontrarmos pessoas nos relacionamentos seguintes exatamente com os mesmos defeitos da pessoa do relacionamento anterior e nos questionarmos: será que não tenho sorte no amor?

Na verdade, não é uma questão de sorte, mas os miasmas energéticos deixados por um relacionamento levam às vezes anos para se dissiparem. Assim, acabamos ficando em uma faixa energética densa em que atraímos exatamente o mesmo perfil energético e, portanto, os mesmos erros, defeitos e problemas voltam a ocorrer.

Mas como a astrologia vê esse fenômeno chamado de "amor líquido" — que aliás é um conceito criado pelo filósofo Zygmunt Bauman, cujo tema é tratado por ele em livro homônimo —, que se dissolve ou se dissipa a qualquer momento?

Cada um dos planetas age dentro de nosso Mapa Natal como base para a construção de nossa personalidade. A astrologia é um instrumento para o autoconhecimento e o conhecimento de nossos parceiros, facilitando o entendimento sobre a compatibilidade que teremos com o outro. O que chamamos de sinastria.

Enfim, compreender a personalidade de cada nativo dos signos pode ajudar — e muito — nos relacionamentos. Fiz um compilado mostrando quais as melhores combinações e dando dicas de conquista.

TINDER DOS SIGNOS

Quais signos combinam entre si? Fiz um resumo sobre as combinações para te ajudar a se relacionar melhor com seu/sua *crush*. Acho muito importante a gente parar e analisar esses pontos para saber como e em que pessoa investir para construir um relacionamento. E até para dar uma aproveitada antes de se casar!

Áries

Pessoas do signo de Áries costumam ser românticas, mas bem ciumentas. Gostam de viver grandes paixões e não se acomodam muito a uma rotina. E se alguém pegar no pé... tchau! Arianos gostam de se sentir desejados e por isso buscam relações intensas e apaixonadas. Quem deseja se relacionar com

alguém desse signo deve se esforçar para manter a chama do relacionamento sempre acesa. Arianos também são um pouco impulsivos e não economizam palavras diante de uma traição ou de alguma atitude que não aprovam.
Palavras-chave: liderança no relacionamento, comando e impulsividade
Dá *match* com: Libra
Passa longe de: Câncer

Touro
Pessoas do signo de Touro possuem temperamento forte, são conservadoras, teimosas e materialistas. Porém, também são zelosas, carinhosas e superestáveis, por isso não suportam pessoas inconstantes. Taurinos adoram receber carinho e serem surpreendidos. Gostam também de relações que lhes passem segurança.
Palavras-chave: fidelidade, possessividade e ciúme
Dá *match* com: Escorpião
Passa longe de: Áries, Gêmeos e Touro

Gêmeos
Geminianos são criativos, cuidadosos, dispersos e ágeis. São pessoas que têm uma personalidade complexa, inconstante, mas são extremamente inteligentes. A maioria deles é falante, comunicativo e extrovertido, mas também há no grupo os mais reservados. Estes, mesmo apresentando um comportamento calmo, estão com a mente sempre alerta, captando tudo que está acontecendo ao seu redor.
Palavras-chave: negligência, dispersão e falta de atenção
Dá *match* com: Sagitário
Passa longe de: Câncer, Virgem e Peixes

Câncer

Pessoas do signo de Câncer são bem ligadas à família e ao passado. São protetoras, simpáticas, receptivas e fantasiosas. Quando amam alguém são carinhosas, leais, compreensivas e buscam sempre a tranquilidade. Na hora de conquistar um canceriano é importante que você transmita segurança emocional para que ele se abra com você e se deixe conquistar.

Palavras-chave: doação, dedicação e dependência

Dá *match* com: Capricórnio

Passa longe de: Leão

Leão

Pessoas do signo de Leão são carismáticas, extrovertidas, orgulhosas e supercriativas. São passionais, seguras, otimistas e ótimas líderes. Em um relacionamento amoroso, adoram receber elogios e desejam uma pessoa forte ao seu lado, embora não admitam competições. Leoninos adoram se sentir exclusivos e especiais, por isso invista em surpresas inusitadas e os elogie sempre para conquistá-los.

Palavras-chave: egocentrismo, charme e destaque

Dá *match* com: Aquário

Passa longe de: Virgem, Touro e Capricórnio

Virgem

Pessoas do signo de Virgem são superobservadoras, pacientes e precisas. Prezam a responsabilidade, o esforço e são muito perfeccionistas. Em um relacionamento, são um pouco inseguras para se entregarem totalmente e não admitem desleixo e irresponsabilidade. Virginianos não são fáceis de se conquistar e, por serem muito práticos, não se entregam com facilidade, por isso, tenha muita paciência.

Palavras-chave: cobrança, críticas e julgamento

Dá *match* com: Peixes
Passa longe de: Libra e Leão

Libra
Pessoas do signo de Libra são meigas, sociáveis, encantadoras, educadas, pacíficas e gostam de agradar. Em um relacionamento amoroso, librianos são intensos e se entregam de corpo e alma. Eles são conquistados facilmente, mas prezam a privacidade, por isso não suportam ciúmes em excesso. Pelo fato de se vestirem muito bem, apreciam pessoas elegantes.
Palavras-chave: pegajosos, indecisão e carência
Dá *match* com: Áries
Passa longe de: Escorpião

Escorpião
Pessoas do signo de Escorpião são movidas pelo desejo. São misteriosas, discretas e observadoras; ao mesmo tempo, criativas, emotivas e líderes. Por serem muito apaixonados, escorpianos se entregam bastante em uma relação amorosa. Sempre buscam por alguém com quem possam demonstrar suas emoções e seus sentimentos. Para conquistar um escorpiano invista na sensualidade, mas sem parecer superficial, pois esse signo odeia futilidade.
Palavras-chave: sensualidade, possessividade e ciúmes
Dá *match* com: Touro
Passa longe de: Leão e Áries

Sagitário
Sagitarianos são otimistas, simpáticos e de mente aberta. Costumam ser pessoas versáteis. Gostam de viver novas experiências, atingir metas e ultrapassar limites. Quando têm

interesse em alguém, são sinceros e não veem problema em tomar a iniciativa. Nos relacionamentos amorosos, prezam a liberdade acima de tudo, por isso não aceitam cobranças. Eles valorizam pessoas inteligentes e, sobretudo, dinâmicas. Costumam trair quando estão em um relacionamento e sempre ultrapassam os limites de seu(sua) parceiro(a). Detestam cobranças e são muito discretos.

Palavras-chave: praticidade, liberdade e simpatia
Dá *match* **com:** Gêmeos
Passa longe de: Câncer e Peixes

Capricórnio

Capricornianos são calmos, seguros, estáveis, responsáveis e reservados. São pessoas que se apaixonam intensa e rapidamente. São pacientes e disciplinados, por isso, na maioria das vezes, conseguem chegar aonde querem. Em um relacionamento, apesar de serem mais reservados, quando se apaixonam levam o namoro muito a sério.

Palavras-chave: análise, possessividade e desejo de atenção
Dá *match* **com:** Câncer
Passa longe de: Leão, Sagitário e Áries

Aquário

Aquarianos são intelectuais, independentes, leais e humanitários. Primam pela liberdade e olham sempre para o futuro. Costumam ser um pouco estabanados e contraditórios, podendo ser tímidos ou mais extravagantes. Pessoas do signo de Aquário costumam se atrair por pessoas inteligentes, originais e não muito emotivas, pois tentam camuflar seus sentimentos.

Palavras-chave: independência, ciúme, frieza e racionalidade

Dá *match* com: Leão
Passa longe de: Capricórnio e Peixes

Peixes
Pessoas do signo de peixes têm necessidade de serem aceitas, pois se sentem facilmente abandonadas. São extremamente sensuais e de emoção aflorada. Piscianos odeiam ser tratados de maneira rude ou sentir que foram esquecidos. Mas na hora da sedução esbanjam sensualidade e sabem como conquistar alguém. O amor de um pisciano é verdadeiro e vem do fundo da alma. Sua emoção é a mais aflorada de todos os doze signos do Zodíaco. Eles sabem mesmo como se doar para as outras pessoas, sendo muito generosos nos seus relacionamentos. Tão generosos que podem até mesmo esquecer-se de agradar a eles mesmos.
Palavras-chave: carência, falta de personalidade e dependência
Dá *match* com: Touro, Câncer e Capricórnio
Passa longe de: Aquário e Gêmeos

> **O RETORNO DE SATURNO**
> Segundo os estudos da astrologia, todos nós na mudança dos 28 para os 29 anos passamos pelo retorno de Saturno, que é quando o planeta volta ao mesmo ponto em que estava quando você nasceu. É nesse ciclo astrológico que entendemos nossas limitações e podemos assumir nossas responsabilidades. É como se existisse uma quebra: é a vida daqui por diante, é o amadurecimento.
> Como resultado disso, a vida parece passar devagar, como se nada desse certo — e a mulherada pira! Fico louca com a quantidade de mensagens que recebo deste tipo: "Márcia, eu quero casar!", "Márcia, por que eu ainda estou solteira?", entre outras.

Muitas pessoas estão neste plano e realmente não vieram para se casar nesta vida, mas a grande maioria, sim, veio para se unir a alguém, formar família. A questão é que se você se desesperar e ficar paralisada apenas com o pensamento fixo de que precisa encontrar um namorado ou se casar, terá uma vida frustrante.

Coloque-se em primeiro lugar, ame-se primeiro. Faça uma lista de metas que deseja realizar, tanto pessoais como profissionais, por exemplo, viagens, cursos, pós-graduação. E, dessa forma, naturalmente, quando for o momento, surgirá um cara bacana no seu caminho.

Outro problema é aquela pessoa que deseja ter um parceiro, mas nem sequer se coloca em movimento. Isto é, não sai à noite, não vai a festas de aniversário ou frequenta possíveis lugares em que pode conhecer alguém. Amplie seu círculo de amizades. A canceriana, por exemplo, que não sai de casa nem para ir à padaria, vai conhecer alguém como, minha filha? Ok, existem sites e aplicativos de relacionamento, mas você precisa se mexer!

DICAS PARA CONQUISTAR CADA SIGNO

Signos regidos pelo elemento ar

São os nativos de Libra, Gêmeos e Aquário. São pessoas bastante comunicativas e criativas. Assim, para conquistá-las, saiba estabelecer um bom diálogo.

Signos regidos pelo elemento terra

São os nativos de Touro, Virgem e Capricórnio. São introvertidos, focados, objetivos e bastante realistas. Um bom jeito de conquistá-los é provando que você é alguém confiável e fiel.

Signos regidos pelo elemento fogo
São os nativos de Leão, Áries e Sagitário. São pessoas animadas, extrovertidas e corajosas. Ser simpático e divertido com certeza vai ajudar no momento da conquista.

Signos regidos pelo elemento água
São os nativos de Câncer, Escorpião e Peixes. São pessoas bastante sensíveis e emotivas. É característico deles se apaixonar rápido, então tenha responsabilidade emocional para agir com sinceridade quando não quiser um relacionamento sério.

JOGO RÁPIDO: MAIS CURIOSIDADES SOBRE AS COMBINAÇÕES AMOROSAS DO ZODÍACO
Os três signos mais propícios a trair
1) **Escorpião** é muito sexual e acaba atraindo muito as pessoas. É fiel quando ama, mas quando não se apega, troca com a maior facilidade. Plutão, seu regente, faz querer ter o controle de tudo.
2) **Áries** é muito impulsivo, faz as coisas sem pensar e não gosta de rotina. Seu regente, Marte, impulsiona a ação e a busca de novidades o tempo todo.
3) **Gêmeos** é muito desapegado, não gosta de dar satisfação. Seu regente, Mercúrio, faz com que desenvolva carisma e simpatia, atraindo muitas pessoas.

Os três signos mais fiéis
1) **Touro** é o mais fiel, pois é o signo fixo do elemento terra, precisa de estabilidade.
2) **Câncer** é apegado à família, é romântico e quer ter segurança no parceiro.

3) **Virgem** é muito correto. Como é o mais justo do Zodíaco, não admite traições.

Os três melhores signos no sexo romântico

1) **Escorpião**, porque é o mais sensual do Zodíaco. Seu regente, Plutão, é dominador e sabe o que faz.

2) **Touro**, pois seu planeta regente, Vênus, que rege os prazeres, faz referência à deusa greco-romana Vênus/Afrodite, que conquistava muitos homens.

3) **Gêmeos** é muito criativo e dizem na astrologia que ele vale por dois.

As combinações de signos mais perigosas!

1) Áries e Peixes

Arianos são ativos, objetivos, assertivos e briguentos. Piscianos são passivos, subjetivos, pacientes e assustados com as situações mais difíceis da vida.

2) Gêmeos e Capricórnio

Geminianos são sabidamente as pessoas mais imaturas do Zodíaco, inconsequentes. Capricornianos já nascem velhos, maduros, mal-humorados. É como um adolescente e um ancião juntos.

3) Leão e Escorpião

Leão e Escorpião não se deixam levar por palavras suaves para serem convencidos de que devem mudar de ideia ou de caminho. Eles fazem o que acham que devem fazer, doa a quem doer. Não abrem mão de dar a última palavra e não deixam de lado suas decisões. Neste relacionamento, ambas as vontades e decisões entrarão em choque.

Os três signos mais românticos

1) Câncer

2) Peixes
3) Escorpião
Pois todos são signos regidos pelo elemento água, que está ligado ao nosso emocional. Acabam tendo um lado sonhador e idealizador do parceiro.

Os três signos mais ciumentos
1) **Touro** e 2) **Escorpião**, pois são extremamente possessivos. Querem pedir satisfação de tudo e estar no controle dos relacionamentos.
3) **Câncer**, regido pela Lua, precisa de segurança emocional e acaba sendo um "grude" do parceiro, tendo uma preocupação excessiva com o outro, o que pode levar à insegurança e ao ciúme.

Os três signos mais briguentos nos relacionamentos
1) **Áries**, pois quer sempre comandar. É um signo de fogo e líder por natureza. Conviver com o nativo desse signo é ter a certeza de que deve ouvir mais do que falar. Seu regente, Marte, é o deus da guerra. Adora um conflito.
2) **Touro** é mandão e gosta de pedir satisfação de tudo. Não gosta de conflitos, mas a mania de se meter em tudo acaba o envolvendo em brigas.
3) **Leão** precisa defender seu espaço, afinal ele é o "rei das selvas", regido pelo Sol. Precisa aparecer e se destacar. Acaba muitas vezes dando a cara a tapa no lugar dos outros.

Os três signos que mais se desapegam facilmente em um rompimento amoroso
1) **Aquário**, rebelde por natureza e por influência de seu regente, Urano, segue adiante sem olhar para trás e nem se arrepender. Contraditório, sempre achará que está com a razão.

2) **Sagitário**, livre por natureza, e seu regente, Júpiter, preza a liberdade e o otimismo. Sempre vai ver um aprendizado na situação e seguir adiante. Por ser visionário, consegue enxergar no futuro outras oportunidades de relacionamento.

3) **Libra**, por ser regido por Vênus, logo se envolve com outra pessoa e substitui um afeto por outro com a maior facilidade.

Os três signos que mais se casam

Casamento não é algo fácil para ninguém, mas há três signos que praticamente não conseguem ficar sozinhos e gostam da ideia de uma vida a dois. São eles:

1) **Touro**

Os taurinos procuram estabilidade, conforto, duração em seus relacionamentos, fidelidade e lealdade. Esses fatores garantem a eles o primeiro lugar do ranking, pois evitam mudanças bruscas e às vezes arrastam um relacionamento infeliz apenas para se manterem casados e fugir de intranquilidades ou mudanças drásticas.

2) **Câncer**

O signo que sempre remete à família jamais poderia estar fora desta lista. Os nativos de Câncer têm necessidade de estar casados, como se algo em sua vida estivesse faltando se não puderem formar sua própria família. São sensíveis, emotivos, gentis e cuidadores. Um grande companheiro para a vida.

3) **Libra**

Os librianos, extremamente tradicionais, buscam um relacionamento igualitário e uma parceria para a vida. Apesar de serem sedutores e atraírem diversos parceiros ao longo da vida, quando realmente se interessam por alguém se entregam de corpo e alma. Muitas vezes se anulam para manter a harmonia, e essa é uma das razões de seus relacionamentos serem duradouros.

Os três signos que mais se divorciam
É muito difícil manter um casamento, mas para esses três signos a convivência a dois se torna praticamente impossível. Confira se você está entre eles ou se convive com um deles:
1) **Aquário**
Acima de tudo independente e livre, fica entediado em um compromisso e detesta cobranças. Busca sempre a sua liberdade em primeiro lugar. Gosta de ficar só e de ter seu próprio espaço, e isso pode não ser bem compreendido pelo parceiro.
2) **Virgem**
Virginianos costumam querer mudar o parceiro e encaixá-lo em seu modelo exigente de perfeição. Acabam se frustrando e se tornando extremamente implicantes, chatos e críticos, o que cria uma convivência difícil a dois.
3) **Escorpião**
Escorpianos são muito ciumentos e costumam esperar muito dos parceiros, podendo até mesmo sufocá-los. Criam ao redor do relacionamento uma aura de controle e possessividade que se torna insustentável em alguns casos para a pessoa que convive com eles.

Os três signos que mais ficam solteiros
1) **Gêmeos**
Geminianos preferem algo mais casual, são muito desapegados, instáveis. Um dia amam, no outro não amam mais, sem muitas complicações, sem terem que lidar com corresponder à felicidade do outro, por isso é o primeiro signo do ranking.
2) **Virgem**
Virginianos são muito exigentes quando se trata de relacionamentos, idealizam perfeição demais, analisam muito antes

de entrar em um relacionamento com alguém e preferem esperar anos pela pessoa "certa".

3) **Sagitário**

Sagitarianos prezam a sua liberdade acima de tudo, não gostam de pessoas pegajosas, de ter que dar satisfação, preferem dedicar mais tempo para si do que para o outro e seguem sempre o lema "antes só do que mal acompanhado".

Signos e compatibilidade sexual

Áries

Libra, Virgem e Escorpião são os signos que provavelmente vão garantir noites intensas de sexo para Áries. Aquário é o personagem complementar que traz uma suavidade afetuosa ao relacionamento.

Touro

Libra e Peixes são os signos que mais vão gerar faíscas e noites quentes com Touro. Já Capricórnio e Virgem possuem grande afinidade com Touro e podem garantir um relacionamento com muita afinidade e compreensão.

Gêmeos

O padrão de atração sexual de Gêmeos normalmente é espelhado nos signos de Capricórnio e Escorpião. Libra e Aquário formam uma boa combinação romântica com Gêmeos, garantindo grande afinidade em diversos aspectos da união.

Câncer

Sagitário e Aquário são os melhores signos para garantir momentos inesquecíveis na cama para Câncer. Peixes e

Escorpião podem formar bons parceiros amorosos pela grande afinidade de comportamento e ideias.

Leão
Os signos de Peixes e Capricórnio são considerados excelentes parceiros sexuais para Leão. Áries e Sagitário também podem garantir uma paixão intensa e arrebatadora, mas cuidados serão necessários para que egos não saiam machucados.

Virgem
Áries e Aquário são os signos que normalmente garantem boas relações íntimas e picantes com Virgem. Capricórnio e Touro formam boas parcerias, tanto no meio profissional como no pessoal.

Libra
Peixes e Touro formam com Libra uma química sexual intensa. Aquário e Gêmeos, no entanto, podem garantir uma relação bastante equilibrada e segura.

Escorpião
Gêmeos, Áries e Sagitário podem formar com Escorpião uma relação explosiva de sexo e intimidade. Virgem e Capricórnio também costumam, em união com Escorpião, vivenciar uma paixão bastante intensa e duradoura.

Sagitário
Touro, Câncer e Gêmeos são signos que podem garantir grande atração sexual combinada com Sagitário. Nos relacionamentos afetivos, Aquário e Libra são complementares e garantem uma relação equilibrada.

Capricórnio

Gêmeos, Leão e Libra são os que mais sabem como levar Capricórnio à loucura na hora do sexo. Touro e Virgem são outros signos que costumam formar uma combinação muito boa nos relacionamentos.

Aquário

Virgem e Câncer são capazes de garantir boas noites intensas de sexo com Aquário. Este signo, quando se relaciona com Gêmeos e Libra, forma uma relação amorosa bastante poderosa e prazerosa.

Peixes

Leão, Touro e Libra são considerados os signos capazes de incendiar uma relação íntima e sexual com Peixes. Escorpião e Câncer são signos que formam com Peixes uma união bastante harmoniosa, compreendendo a necessidade de afeto e sensibilidade nas relações.

Os signos com mais pegada

No ranking dos signos, quem tem mais pegada? Curioso para saber? Confira:

1º lugar: Escorpião: Sensualidade é com eles! É algo tão natural que nem precisa de esforço. Escorpião gosta de uma conquista, se diverte com a situação e, quando consegue o que quer, será difícil escapar das suas garras. Aliás, pode ter certeza de que escorpianos têm diversas artimanhas na manga, revelando-se intensos e extremamente envolvidos em tudo o que se propõem a fazer.

2º lugar: Leão: É claro que um representante do elemento fogo não poderia ficar de fora das primeiras posições desse ranking. Os nativos de Leão são sexy por natureza, principalmente porque têm um cuidado todo especial com sua aparência. Significa que, na hora de chamar a atenção, estarão prontos, dos pés à cabeça, bem provavelmente com um perfume provocante e um visual bem charmoso. Sem contar que são extremamente envolventes e gostam de dar o primeiro passo.

3º lugar: **Áries:** Gosta de revelar seu "sex appeal". Arianos adoram os joguinhos de sedução, desafios de amor, que os posicionam como grandes conquistadores. Envolventes e atraentes como são, sabem provocar, seduzir e, também, brincar com seu foco de interesse.

Os quatro signos mais safados na hora do sexo

1) **Escorpião:** Considerado o signo mais sexual de todo o Zodíaco, os escorpianos são famosos por suas habilidades na cama. Eles são apaixonados e ambiciosos em todos os aspectos da sua vida, então no sexo não seria diferente. Os escorpianos não têm medo de expressar seus desejos mais secretos e fazem questão que seus encontros sexuais sejam inesquecíveis; cada um à sua maneira. A experiência com um(a) parceiro(a) de Escorpião pode ser romântica e leve ou pode ser uma experiência completamente maluca, pois eles sabem exatamente o que a outra pessoa deseja.

2) **Áries:** quando os arianos querem alguma coisa, querem agora, inclusive na vida sexual. O sexo com os arianos é mais emocionante que uma montanha-russa, e eles podem permanecer na cama o tempo que for necessário — e achar isso delicioso. Eles correm atrás do seu objetivo até consegui-lo e fazem com que seus parceiros se sintam tão desejados que é quase impossível dizer não a um ariano. Porém, para eles, é a atividade sexual em si que mais os atrai, e não sentimentos de intimidade ou compartilhar experiências que aprofundem a relação.

3) **Leão:** é um signo forte e muito quente na cama. Os nativos desse signo são criativos e agitados e gostam que esse momento seja o mais excitante possível. Quer curtir um momento íntimo na cozinha ou sob as estrelas? Os leoninos são os parceiros ideias para esse tipo de aventura. Porém, a pessoa que estiver com um leonino precisa ser clara em relação aos seus desejos, já que Leão tende a se concentrar em si mesmo e ser um pouco narcisista. Quando se trata de sexo, os leoninos focam a satisfação pessoal e exigem total atenção.

4) **Aquário:** se você estiver procurando por parceiros que tenham um espírito livre, os aquarianos podem dar o *match* perfeito. Divertidos e sempre prontos para o sexo, eles gostam de explorar novas posições e de usar brinquedos eróticos. Eles também podem se apaixonar e se comprometer, mas na mente dos aquarianos isso tem pouco a ver com o ato sexual — e mais com o que vem antes e depois do ato em si. Eles preferem ver o sexo e o amor como duas coisas distintas, mas que às vezes se encontram e se entrelaçam.

3. A NUMEROLOGIA E O AMOR

A numerologia é a ciência dos números, e ela também pode ser uma ótima aliada para conhecer e compreender as pessoas com as quais nos relacionamos amorosamente.

COMBINAÇÃO OU SINASTRIA AMOROSA PELA NUMEROLOGIA

Por meio dessa técnica, conseguimos saber quem combina com quem e até mesmo melhorar os pontos que estiverem ruins num relacionamento. Podemos inclusive descobrir qual energia domina nossa relação.

O cálculo é simples, basta somar os algarismos da data de nascimento até reduzir a um único dígito. Por exemplo, o casal de namorados Maria e João:

Maria
Data de nascimento: 10/05/1973
$1 + 0 + 0 + 5 + 1 + 9 + 7 + 3 = 26$
$2 + 6 = 8$

João
Data de nascimento: 02/03/1985
$0 + 2 + 0 + 3 + 1 + 9 + 8 + 5 = 28$
$2 + 8 = 10$

Datas de nascimento de Maria + João = $8 + 10 = 8 + 1 + 0 = 9$

Portanto, a energia do casal é a 9. Viu? É muito fácil calcular. Faça suas contas e depois leia sobre cada tipo de energia.

Energia 1: Ativos, dinâmicos e um pouco explosivos. Nunca há monotonia quando estão juntos. Típico casal que adora uma encrenca, mas ainda bem que as reconciliações são bem apaixonadas. Precisam se envolver em muitas atividades juntos e gostam de realizar trabalho em equipe. Mas é essencial que definam metas e objetivos comuns, pois as suas personalidades tendem a entrar em conflito de egos.

Energia 2: Nesse casal, os dois parecem viver exclusivamente um para o outro. São carinhosos, dedicados, ternos e trocam inúmeros gestos e palavras afetuosas. Ao longo do dia trocam vários apelidos amorosos: "amor", "bebê" etc. O problema é quando a relação cai no exagero e na dependência, então é aconselhável que ambos mantenham atividades individuais para não se deixarem absorver pela relação. Com tanto respeito e cuidado mútuo, esse relacionamento tem o poder de curar o coração partido por amores anteriores.

Energia 3: Partilham o amor pela natureza e pelos animais. Detestam rigidez, então vivem sua relação de forma descontraída e leve, num clima de cumplicidade e companheirismo. Raramente se zangam um com o outro, pois criam um ambiente de harmonia e de boa disposição entre si — que acaba, inclusive, contagiando quem está ao redor. São o casal mais divertido de qualquer festa. O espírito livre de ambos pode dificultar a construção de um compromisso mais sólido.

Energia 4: Nesse relacionamento, as duas partes estão focadas em construir uma relação sólida e duradoura. Isso porque ambos precisam se sentir seguros, o que trará harmonia e equilíbrio para o casal. Gostam de criar rotinas e hábitos que dão estrutura à relação. Mas por vezes não dão atenção a questões triviais do dia a dia, transformando-as em problemas. Precisam passear e viajar mais, e aprender a levar o relacionamento com mais leveza, sem tratar tudo de forma tão séria.

Energia 5: Nessa relação tudo acontece por acaso, por meio de surpresas. Como se os imprevistos criassem misteriosamente oportunidades de partilha a dois. Adoram a companhia um do outro, e seus encontros são intensos e ardentes. Nenhum dos dois é dado a compromissos rígidos, e como ambos são pessoas de comportamento instável pode haver dificuldade de comprometimento. A espontaneidade, fluida como a água, é essencial para esse casal. Esse relacionamento tem uma linguagem própria que apenas ambas as partes conhecem.

Energia 6: Tudo parece ter surgido de um conto de fadas na vida desse casal. São afetuosos, ternos, se protegem, o que proporciona um alto poder de transformação em sua vida. Se deixam absorver tão rápido um pelo outro que perdem também rapidamente a noção da realidade. O problema disso é que vivem num mundo à parte e criam idealizações exageradas. Os dois devem fazer um esforço mútuo para manter os pés fincados no chão e ser ambos mais objetivos, pois sempre que existem situações práticas a serem resolvidas, estão suscetíveis a cair num impasse.

Energia 7: O casal está ligado fortemente um ao outro num nível transcendental e espiritual. Esse relacionamento favorece a intimidade, o que pode fazê-los se esconderem um do outro, pois o laço que os une é tão intenso que ambos se sentem vulneráveis entre si. Têm tendência a ocultar aquilo que sentem atrás de uma máscara prática e racional, dando maior privacidade aos aspectos cotidianos da relação. Devem aprender a libertar os sentimentos, deixando-se guiar sem receios pela paixão.

Energia 8: Ambos encaram essa relação com seriedade e como algo que é importante para o crescimento pessoal, dando motivação um ao outro. Sem dúvida, são melhores amigos e estão sempre prontos a incentivar o desenvolvimento um do outro. No entanto, como as duas partes têm personalidade forte, as discussões são inevitáveis, surgindo alguns confrontos, pois os dois procuram comandar as decisões. São sensíveis a assuntos financeiros e precisam aprender a relaxar e a desfrutar da relação com prazer.

Energia 9: Os dois aprendem muito um com o outro, sentindo por vezes que têm uma missão partilhada a cumprir — e de fato a possuem. No entanto, geram muita expectativa um pelo outro, o que causa frustração, pois nem sempre a vida é como queremos. Essa relação faz com que ambos se libertem mais sexualmente, havendo mais criatividade e sensibilidade artística quando estão juntos. Através da flexibilidade, ou seja, da capacidade de adaptação, será mais fácil construir um relacionamento sólido e equilibrado.

A MELHOR DATA PARA SE CASAR SEGUNDO A NUMEROLOGIA

Casar-se não significa necessariamente fazer uma cerimônia ou uma grande festa. Podemos considerar que você que mora com seu companheiro há vinte anos já é casada, ora!

Mas vamos lá, você que vai se casar, morar com a pessoa, juntar os trapos, e por aí vai, saiba que a numerologia tem muito a dizer sobre a escolha da data dessa união, pois cada data escolhida apresenta uma energia específica para o seu casamento. A seguir, mostro como fazer a conta para descobrir a energia por trás do dia escolhido.

Primeiro, anote num papel a data desejada. Por exemplo: 22/03/2018
Depois, some cada um dos algarismos:
$2 + 2 + 0 + 3 + 2 + 0 + 1 + 8 = 18$
Faça a mesma soma com o resultado obtido:
$1 + 8 = 9$
Assim, você sabe que a data está na energia 9.

Energia 1: Excelente para recomeços e inícios. Com certeza, será um casamento muito feliz e agitado.
Energia 2: Parceria e cumplicidade no casamento. Os noivos serão amigos e parceiros ao longo da vida matrimonial.
Energia 3: Poder de comunicação na vida do casal. Assim, nunca haverá problema para se comunicar um com o outro, e o diálogo será natural. Além disso, a casa sempre estará cheia de amigos.
Energia 4: Haverá estabilidade e segurança financeira durante a vida a dois.
Energia 5: Farão viagens inesquecíveis juntos, ao redor do mundo todo, e viverão muitas aventuras.
Energia 6: Um lar com harmonia e paz, com a construção de uma família com filhos.
Energia 7: Superação das dificuldades e luta para o casal realizar todos os ideais e sonhos que tiverem.
Energia 8: Vibração bastante positiva para o casal que deseja prosperidade material.

Energia 9: Vibrações positivas associadas ao sentimento de amor, entrega, tolerância e paixão. Um casal que poderá fazer trabalho voluntário junto, como em ONGS.

NUMEROLOGIA DO CORAÇÃO

O número do coração é aquele que descreve seus mais profundos desejos. Para isso, é preciso escrever seu nome completo, separar as vogais e somar:

A = 1
E = 5
I = 9
O = 6
U = 3

Atenção: As pessoas casadas que trocaram o nome devem fazer com o nome de solteira(o).

Como calcular?
Some as vogais do seu nome e reduza a um único dígito. Por exemplo, se a soma das suas vogais resultar 23, você soma 2 + 3 = 5, e 5 será seu número do coração.

Agora, veja o que diz seu número na lista abaixo:

Número do coração 1

O desejo mais profundo dessa pessoa é ser independente e original. Deseja ser um espírito livre, e inclusive pode evitar comprometimentos para ter a liberdade que tanto anseia. Quando mantém uma relação, tende a ocultar o lado mais emotivo de sua natureza, levando a outra pessoa a suspeitar que ela talvez não se interesse tanto, como é de fato.

Número do coração 2
Essa pessoa pode parecer muito segura de si mesma e independente (segundo seu número de expressão), mas debaixo da superfície é sensível, vulnerável e necessitada. Se dá melhor nas relações em que pode se abrir emocionalmente e desfrutar do fato de formar parte de uma equipe. Gosta de cuidar das pessoas amadas e oferecer apoio e amor. A segurança emocional é muito importante para ela e por isso se esforça tanto para conservá-la.

Número do coração 3
A pessoa que possui esse número do coração é carinhosa, sociável e positiva. Gosta de estar com seus familiares e amigos e animá-los. Tem uma visão otimista da vida e a compartilha com os demais, transparecendo sua segurança e seu equilíbrio. Entretanto, em seu mais profundo eu, preocupa-se em ficar sozinha e acabar seus dias sem companhia. Busca a aceitação das pessoas que lhe importam, em particular, seus amigos, familiares e/ou companheiro.

Número do coração 4
Gosta de parecer dependente e confiável e de saber que as pessoas confiam nela. Prefere não ser o centro das atenções e trabalhar nos bastidores; incomoda-se em receber demasiada atenção. Tímida e sensível, necessita de um lar seguro em que possa relaxar. Sabe cuidar muito bem de sua casa e de seus familiares, pois sempre são os primeiros para ela. Gosta de sentir que preserva a família.

Número do coração 5
A pessoa que possui esse número do coração sente uma profunda necessidade de encontrar espíritos afins, em especial,

que se coincidam intelectualmente. Costuma suspeitar que a vida está escapando por suas mãos e que está perdendo todo tipo de experiências maravilhosas. Isso pode fazer com que mude de parceiros em seu afã de encontrar o relacionamento perfeito. É fascinada por estudar temas que lhe interessam.

Número do coração 6

O amor é essencial para a felicidade dessa pessoa. Precisa saber que todas as suas relações caminham bem e são repletas de carinho, mas dá importância especial aos laços familiares. Trabalha muito para que sua vida familiar seja o mais feliz possível, cômoda e tranquila. Decepciona-se amargamente se outras pessoas não lhe correspondem. Em alguns momentos, pode chegar a escolher trabalhar em casa para se manter próxima à família.

Número do coração 7

A pessoa que possui esse número do coração é sensível e se mantém em contato com um mundo interior místico e espiritual que os outros não necessariamente compreendem. Como resultado, em algumas ocasiões a consideram "estranha", e ela tende a se esconder nesse mundo quando a vida se torna difícil e incômoda. Seu companheiro costuma achar difícil a aproximação porque ela sempre parece esconder algo, ainda que nem note.

Número do coração 8

Ansiosa de conseguir êxito, essa pessoa sente que decepciona a si mesma se não consegue alcançar suas ambições. Necessita que a vejam triunfar, assim, costuma inclinar-se por profissões que a coloquem em destaque. Obviamente, não lhe atrai em nada trabalhar para outras pessoas em silêncio ou atrás dos bastidores. O êxito material também é importante para ela e gosta de tudo a que isso pode levar. É extremamente organizada e custa a relaxar.

Número do coração 9
Infinitamente curiosa sobre o mundo, essa pessoa está sempre disposta a descobrir o que acontece ao seu redor. Gosta de investigar e pode ser uma fofoqueira porque não se dá conta de que o momento não é propício para falar da vida alheia. Como resultado, às vezes, surge certa tensão com seus amigos e companheiros. Necessita de muita variedade em sua vida, o que a deixa com um caráter muito volúvel, sonhador e bastante inquieto.

4. ANTES SÓ DO QUE MAL ACOMPANHADA

Nunca vi tanta gente infeliz em relacionamentos como nos dias de hoje, seja em namoro, seja em casamento. E minha reação imediata é: para com isso, gente!

Muitos se mantêm casados por comodismo, medo da solidão, receio da divisão de bens e de ficar sem estabilidade financeira, além do sentimento de posse, segurando o parceiro só para que ele não seja feliz com outra pessoa. Também existem aqueles que preferem ser infelizes a dois por medo de que sem essa pessoa não encontrem mais ninguém e passem o resto da vida sozinhos, o que é fruto de uma tremenda deficiência de autoestima, de amor-próprio. A pessoa começa a achar que vai ficar sozinha para sempre ou que precisa de um companheiro para ser feliz, se realizar, e fica refém de relacionamentos prejudiciais e tóxicos, que causam mais sofrimento do que felicidade. Mas não precisa ser assim, eu juro. Pare de achar que só será feliz se estiver em algum relacionamento.

O que acontece é que boa parte das pessoas é neurótica. Mas, claro, isso também porque existe forte pressão da sociedade para se ter um parceiro, como se estar solteira fosse sinônimo de fracasso. Muitas se desesperam a ponto de procurar soluções extremas, como fazer trabalhos e amarrações (falamos melhor disso na p. 73).

A questão é que a vida dá para a gente exatamente tudo que precisamos para aprender, evoluir e ser feliz em cada fase ou momento de nossa existência. Sendo assim, não precisa ficar preocupada, porque a vida traz!

E, como muitas pessoas não confiam na vida, não aceitam a realidade espiritual em que se encontram. Por exemplo, de ter cinquenta anos e estar solteira ou de ter sessenta anos e ainda não ter se casado, entre outros. Enfim, apenas aceite! Aprenda que você precisa ser feliz, estar realizada com você mesma primeiro e que, se surgir um companheiro ou companheira, será para agregar. E, se por acaso o relacionamento acabar, você continuará sendo alguém feliz e completo.

Então, pergunto: você se elogia, se ama e se cuida? Você se enfeita? O mundo nos trata como nós nos tratamos, então devemos nos valorizar e nos amar antes de amar o outro. Faça isso por si própria, não necessariamente porque vai se encontrar com algum macho! Sim, mulherada, se cuide! Pare de se tratar mal, de se entregar diante das decepções amorosas. Fique cheirosa, coloque uma roupa bacana, passe aquele perfume gostoso, hidrate sua pele.

Sozinha sim, jogada nunca! Como é que está sua energia? Deus te deu um corpo físico que tem que ser trabalhado e cuidado. Por exemplo, é preciso fazer uma atividade física, is ao ginecologista etc. Cuidar do corpo físico, mas também do corpo espiritual e mental.

Como é que está sua energia? Você está vibrando em qual direção? Dê uma olhada na tabela a seguir e entenda como está seu ânimo e suas vibrações:

ÔMEGA		
	PADRÃO	FREQUÊNCIA (Hz)
EXPANDIDO	CONSCIÊNCIA FINAL	1000
EXPANDIDO	ILUMINAÇÃO	700 ou +
EXPANDIDO	PAZ	600
EXPANDIDO	ALEGRIA	540

EXPANDIDO	AMOR	500
	RAZÃO	400
	ACEITAÇÃO	350
	DISPOSIÇÃO	310
	NEUTRALIDADE	250
	CORAGEM	200
	ORGULHO	175
	RAIVA	150
	DESEJO (vício/vontade egocêntrica)	125
CONTRAÍDO	MEDO	100
CONTRAÍDO	PESAR (dor, sofrimento, mágoa)	75
CONTRAÍDO	APATIA (inércia)	50
CONTRAÍDO	CULPA	30
CONTRAÍDO	VERGONHA	20
	ALFA	

É comum nós nos abandonarmos, não nos cuidarmos ou não nos orgulharmos de nós e dos nossos feitos. Por exemplo, vejo muita mulher na casa dos trinta anos que ainda não sabe que é linda, maravilhosa, bem-sucedida, e que precisa brilhar independentemente de ter ou não um companheiro, mas que como ainda está solteira se sente pressionada a entrar num relacionamento e acaba se envolvendo com qualquer um que aparece. Ela acabará se enganando ao tratar o primeiro homem que lhe der atenção como seu grande amor, e as consequências podem ser complicadas.

Você já deve ter presenciado algo parecido. O cara até gosta da mulher, mas nem pensa em se casar. E, ao conhecer a família dela, já é recebido praticamente com a decoração e o próprio bolo de casamento, pô! Então, os dois se casam, e ele precisa ser bonzinho, atencioso, bom de cama, romântico, trabalhador, ótimo pai. Além disso, deve amar a sogra e achar a esposa linda e maravilhosa, sem olhar para o lado. Isto é, ele precisa seguir um manual de como ser e agir que não tem Cristo que aguente... E isso por quê? Porque a mulher é insegura, não se banca, ou seja, não se garante. Então tem que moldar "seu amor", que nem é tão amor assim, para mantê-lo por perto. E dessa forma começam as cobranças em cima dele, de que precisa dar atenção, fazer isso e aquilo, e a mulher começa a se desesperar, imaginando que o marido a está traindo. Até que chega o momento em que o cara não aguenta e explode, e o casamento acaba.

Como eu disse em um vídeo que viralizou na internet: "Quem não te ama não te merece. Se um cara não te liga durante três dias, é porque ele não quer você. Não é que ele esqueceu, põe isso na sua cabeça!". Mulheres, parem de investir em relacionamentos em que claramente o homem não está interessado.

Veja, nós, seres humanos, temos que lidar constantemente com nossos medos, loucuras etc. Vivemos num conflito tremendo com nossa alma, sem coragem de enfrentar a realidade e ser aquilo que somos. Precisamos apenas aprender que a vida é mais fácil do que imaginamos. E não se trata de ser melhor do que a outra pessoa, mas valorizar aquilo que se é. Humildade é essencial, mas sem servir de tapete de ninguém. A nossa dignidade vem da nossa alma. Se não estiver escutando bem a sua, reflita. Não seja uma desencarnada viva, tenha tesão pelo viver, amando-se em primeiro lugar. Não espere somente o apoio dos outros para caminhar, tenha fé em si mesma e siga em frente.

Mulheres, se empoderem, se banquem, não deixem que os homens a subestimem. Afinal, somos nós, mulheres, que fabricamos os homens junto com Deus. Pensem nisso.

SIMPATIA DO AMOR-PRÓPRIO

Lembre-se: você é maravilhosa e merece o melhor. Essa simpatia serve para renovar seu padrão vibratório. Faça às sextas-feiras.

Ingredientes
- 1 vela branca de sete dias
- 1 maçã verde

Como fazer
Acenda a vela ao lado da maçã verde. Espere sete dias e, assim que a vela terminar, descarte a maçã em um jardim florido.

BANHO PARA MELHORAR A AUTOESTIMA

Prepare esse banho para que as energias positivas invadam seu interior e elevem sua autoestima. Faça às sextas-feiras de lua cheia.

Ingredientes
- 1 jarra de vidro
- 1 garrafa de champanhe
- pétalas de 3 rosas cor de salmão
- 14 gotas de essência de baunilha
- 14 gotas de perfume doce
- 1 colher (sopa) de chocolate em pó

Como fazer
Coloque todos os ingredientes na jarra de vidro e misture-os. Em seguida, deixe o conteúdo descansar por doze horas. Passado esse período, jogue o líquido do pescoço para baixo. Enxugue-se e durma com esse banho.

CONCLUSÃO

Segundo a física quântica, quando estamos apaixonados, vivendo um amor gostoso, automaticamente elevamos nosso padrão vibratório de tal maneira que damos descanso para nosso sistema imunológico, e adoecemos muito pouco. Então, que tal amarmos mais e mais nesta vida? Eis um dos segredos da verdadeira felicidade para nossa essência!

Podemos dizer que as soluções para todos os problemas presentes no planeta, ao nosso redor, em nosso dia a dia, estão na condição de amar, de liberar nossa alma para o amor, enfim, é a finalidade maior de toda a nossa existência.

Sendo assim, amar significa evoluir espiritualmente, elevar nossa vibração energética rumo às forças superiores, ao infinito, estar aberto às possibilidades existentes neste Universo e praticar mais o desapego material.

Aqui não estamos falando somente do amor de parceiro(a), que é muito importante, mas também do amor incondicional em geral, seja paternal, maternal, fraternal, portanto, o amor é considerado a energia mais poderosa deste Universo, acredite!

Chega de lamentação, reclamação, queixas e lamúrias! Ame, aja, atue diante das situações de sua existência, encare os desafios como formas de aprendizado de vida. Ame tudo, enfrente tudo com outros olhares, olhares da alma, do amor, e sinta os resultados maravilhosos surgindo em sua trajetória. Confie na sabedoria do Universo!

Experimente amar e terá um sucesso extraordinário em seu dia a dia. O amor é a pura energia da vibração, comparado a um padrão de onda. Se tivéssemos como medi-lo, seria uma densidade de energia elevadíssima, uma frequência de luz fabulosa, chegando a atingir toda a densidade de nosso planeta.

Saiba que fazemos parte de um entrelaçado cósmico, Divino, universal, portanto, o que acontecer a um, afeta consequentemente o todo. Embora o mundo pareça ser tão imenso, infinito, é apenas uma descrição da realidade em ação.

Precisamos urgentemente elevar nossa consciência, amar mais, amar tudo, praticar o sentimento da gratidão, nos ligar em novas energias, despertar a chama de luz da nossa essência. As dores que presenciamos ao redor do mundo é sinal de que precisamos amar, amar, amar, portanto, falta amor em nossas atitudes, em nossas ações, em nosso coração.

Lembre-se de que tudo é energia, é vida e, conforme vamos elevando nosso padrão energético, certamente sentiremos maravilhosos resultados e expandiremos nossa consciência de forma autêntica e feliz.

AGRADECIMENTOS

Em primeiro lugar, agradeço a Deus por estar no planeta Terra. Recentemente, assisti a uma peça de teatro sobre Madame Blavatsky, com a atriz Mel Lisboa, que diz no texto: a Terra não pode ser o umbral. Olhe para o nosso "teto". O que você enxerga? O umbral não tem esse céu azul, esse sol maravilhoso, essas estrelas. Estamos num planeta maravilhoso. Só por isso, agradeço.

Agradeço aos meus filhos, Fábio e Marcelo;

Agradeço ao doutor Bezerra de Menezes;

Agradeço às Pombagiras;

Agradeço ao estudo que tenho tido na vida e pela inteligência que Deus me deu;

Agradeço ao Guilherme Samora, meu editor;

Agradeço à Globo Livros;

Agradeço a todos que contribuíram para este livro.

Este livro, composto na fonte Fairfield,
foi impresso em papel Pólen Natural 80 g/m² na Corprint.
São Paulo, agosto de 2023.